新汉语水平考试模拟试题集

HSK 一级

总策划：董 萃　王素梅

主 编：王 江

副主编：于婧阳　金学丽

北京语言大学出版社
BEIJING LANGUAGE AND CULTURE
UNIVERSITY PRESS

主　编：王　江

副主编：于婧阳　金学丽

编　者：（以姓氏笔画为序）

于婧阳　王　江　刘红英　金学丽

施　雯　程润娇　韩　筝

编写说明

　　新汉语水平考试（HSK）是由中国国家汉办于 2009 年推出的一项国际汉语能力标准化考试，重点考查汉语为第二语言的考生在生活、学习和工作中运用汉语进行交际的能力。考试共分 6 个等级的笔试和 3 个等级的口试。

　　为了使考生们能够更快更好地适应新的考试模式，了解考试内容，明确考试重点，熟悉新题型，把握答题技巧，我们依据国家汉办颁布的《新汉语水平考试大纲》（HSK 一级至 HSK 六级），在认真听取有关专家的建议、充分研究样题及命题思路的基础上，编写了此套应试辅导丛书。

　　本套丛书根据新 HSK 的等级划分分为六册，分别是：

　　《新汉语水平考试模拟试题集　HSK 一级》

　　《新汉语水平考试模拟试题集　HSK 二级》

　　《新汉语水平考试模拟试题集　HSK 三级》

　　《新汉语水平考试模拟试题集　HSK 四级》

　　《新汉语水平考试模拟试题集　HSK 五级》

　　《新汉语水平考试模拟试题集　HSK 六级》

　　每级分册均由 10 套笔试模拟试题组成，试题前对该级别考试作了考试介绍，对新模式的答题方法进行了指导；试题后附有听力文本及答案，随书附有听力模拟试题的录音 MP3。

　　本套丛书的主要编写者均为教学经验丰富的对外汉语教师，同时又是汉语水平测试方面的研究者。所有试题在出版前均经参加过新 HSK 考试的考生们试测。各级试题语料所涉及的词汇及测试点全面覆盖大纲词汇及语法点。我们精心选取语料，合理控制难易程度，科学分配试题数量和答题时间，力求使本套丛书的模拟试题更加接近新 HSK 真题。

　　相信广大考生及从事考试辅导的教师们会受益于本套丛书，这也是我们的最大心愿；同时也希望使用本套书的同仁们不吝赐教，提出宝贵意见。

　　本套丛书各分册配套录音听力试题前的中国民乐由"女子十二乐坊"演奏，在此深表谢意。

《新汉语水平考试模拟试题集》编委会

Preface

The new HSK is a standardized test of international Chinese proficiency launched by Hanban in 2009, which mainly tests the non-native speakers' ability to communicate in Chinese in their life, study and work. There are 6 levels of written test and 3 levels of oral test.

In order to help the test takers get familiar with the mode and questions of the new test, understand its contents and focuses, as well as master the test taking strategies, we have compiled this series of test guides based on the opinions of relevant experts and our sufficient study on the sample tests.

There are 6 books in this series, corresponding to the six levels of the new HSK.

Simulated Tests of the New HSK (HSK Level I)
Simulated Tests of the New HSK (HSK Level II)
Simulated Tests of the New HSK (HSK Level III)
Simulated Tests of the New HSK (HSK Level IV)
Simulated Tests of the New HSK (HSK Level V)
Simulated Tests of the New HSK (HSK Level VI)

Each book includes 10 written tests. Before the simulated tests is the introduction to the test of the level and the directions for answering the questions of the new mode. The script of the listening section and answers can be found after the tests. An MP3 disc of the recording of the listening section is attached to the book.

All the authors and editors of this series are Chinese teachers with rich teaching experience, as well as researchers of international Chinese proficiency testing. Before publication, all of the simulated tests had been taken by examinees who have taken the new HSK. The test materials at all levels ensure a full coverage of the vocabulary and language points required by the outline of new HSK. The language materials have been carefully selected with thoughtful deliberation, the complexity of the questions has been carefully controlled, and the amount of the questions as well as the time to answer the questions have been arranged reasonably. We have done our best to make the simulated tests of this series more like the real new HSK tests.

We believe that test takers and teachers of HSK will benefit from this book. Also, we sincerely hope that colleagues using this book will render us your criticism and share your precious opinions with us.

Sincere thanks will go to Twelve Girls Band, who have performed the Chinese folk music before each listening test in the audio recordings accompanying the series.

The Compilation Committee of the Simulated Tests of the New HSK

目 录
Contents

新汉语水平考试 HSK（一级）

考试介绍

考试对象　　参加新 HSK（一级）的考生已掌握词汇量应为 150 个左右，可以理解并使用一些非常简单的汉语词语和句子，能够进行一些简单的交际，具备进一步学习汉语的能力。

考试内容及时间　　新 HSK（一级）笔试分为听力和阅读两个部分，约 40 分钟，包括：

1. 听力（20 题，约 15 分钟）
2. 阅读（20 题，17 分钟）

还包括考生填写个人信息 5 分钟，听力结束后填写答题卡 3 分钟。

新 HSK（一级）听力试题每题听两次，每个部分各包括 5 道题。内容和要求如下：

听力	第一部分	听短语判断图片正误
	第二部分	听句子选择正确的图片
	第三部分	听对话选择正确的图片
	第四部分	听句子选择正确的答案

新 HSK（一级）阅读试题每个部分各包括 5 道题。内容和要求如下：

阅读	第一部分	判断图片与所给词语是否一致
	第二部分	根据句子选择相应的图片
	第三部分	根据句子选择上下文
	第四部分	选择词语完成句子或对话

考试成绩　　新 HSK（一级）听力和阅读部分满分各为 100 分，总分 200 分，120 分为合格。考试成绩长期有效。作为外国留学生进入中国院校学习的汉语能力的证明，成绩有效期为两年（从考试当日算起）。

Introduction to the new HSK (Level I)

Test takers

The new HSK (Level I) is designed for learners who have acquired a vocabulary of approximate 150 Chinese characters. They can understand and use some simple Chinese characters and sentences to make easy communication, thus having the ability to continue their Chinese study.

Contents and time of the test

The new HSK (Level I) written test consists of two sections: listening and reading. It is approximate 40-minute long, including:

    1. Listening (20 questions, about 15 minutes)

    2. Reading (20 questions, 17 minutes)

It also includes the 5 minutes for test takers to fill in their personal information and the 3 minutes after the listening part for test takers to write the answers on the answer sheet provided.

In the new HSK (Level I) listening section, each question will be heard twice and each part includes five questions. The questions and the requirements are as follows:

Listening	**Part I**	Listen to the phrases and decide whether the pictures are true or false.
	Part II	Listen to the sentences and choose the right pictures.
	Part III	Listen to the dialogues and choose the right pictures.
	Part IV	Listen to the sentences and choose the right answers.

In the new HSK(Level I) reading section, each part includes five questions. The questions and the requirements are as follows:

Reading	**Part I**	Decide whether the pictures are the correct ones for the words or expression given.
	Part II	Choose the corresponding pictures based on the sentences given.
	Part III	Match the sentences that are closely related in meaning.
	Par IV	Choose the right words or expressions to complete the sentences or dialogues.

Test score

The full score for each of the listening and reading sections in the new HSK (Level I) is 100. The total score is 200 and the minimum score to pass the test is 120. The test result has a long-term validity. As a Chinese language proficiency certificate for an international student to apply for Chinese educational institutions, it is valid in two years (starting from the date of the test).

新汉语水平考试 HSK（一级）

答题指南

新 HSK（一级）听力和阅读部分的考试，在试题前都给出了示例，要求学生仿照示例完成试题。

新 HSK（一级）试卷上的词语和句子都标注了拼音，有大量的图片题。

听 力

听力题每题都听两次，除重复试题时间外，第一部分每题答题时间为 6 秒，第二部分为 8 秒，第三、四部分为 12 秒左右。考生在作答时应抓住图片的主要信息，找与所听词语或句子有密切关联的图片。

第一部分　共 5 个题。这部分试题是根据录音中的短语对所给的图片进行正误判断。下面以模拟试卷 1 的示例为例。在录音中你听到"很高兴"这个短语，图片上一个人在高兴地笑，所以这张图片是对的；而你听到"看电影"这个短语，图片上却是一个人在看报纸，所以是错的：

	√
	×

Directions for answering the questions of the new HSK (Level Ⅰ)

In the listening and reading sections of the new HSK (Level Ⅰ), examples are given before the test questions. Test takers are asked to answer the questions following the examples.

All the words and sentences in the test paper of new HSK (Level Ⅰ) are marked with *pinyin*. Pictures are used in many questions.

Listening

In this section, each question will be heard twice. Then test takers will have around 6 seconds to answer each question in Part 1, 8 seconds for each question in Part 2, and 12 seconds for each question in Part 3 and Part 4. They need to get the main ideas of the pictures, and try to find the one relevant to the words or sentences they hear.

Part I

There are 5 questions altogether in this part. Test takers are asked to decide whether the pictures given are right or wrong based on the phrases they hear. For example, in Simulated Test 1, you hear the phrase "很高兴" and find a boy laughing cheerfully in the picture, so this picture is right. Then you hear the phrase "看电影" and find a woman reading the newspaper in the picture, so it is wrong.

	√
	×

V

第二部分 共 5 个题。这部分是根据录音中的句子选出正确的图片。例如，你听到"这是我的书。"这个句子，所给图片有书、电话、苹果，所以应该选择答案 A：

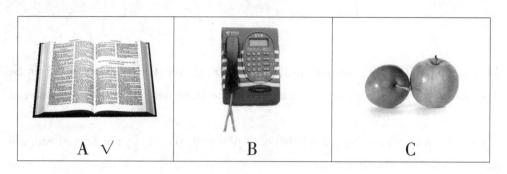

第三部分 共 5 个题。这部分试题是根据录音中的对话选择正确的图片。例如，你听到下面的对话：

　　　　Nǐ hǎo!
女：你 好！

　　　　Nǐ hǎo!　Hěn gāoxìng rènshi nǐ.
男：你 好！ 很　高兴 认识 你。

你看到以下几张图片：

图片 B 是两个人见面握手，为正确选择： B 。

第四部分 共 5 个题。这部分试题是首先听一个人说一句话，然后另一个人就这句话提出问题，要求从三个选项中选出一个正确答案。例如，你听到：

Part II

There are 5 questions altogether in this part. Test takers are asked to choose the right pictures based on the sentences they hear. For example, you hear the sentence "这是我的书" and there are pictures of a book, a telephone and apples, so you should choose answer A.

Part III

There are 5 questions altogether in this part. Test takers are asked to choose the right pictures based on the dialogues they hear. For example, you hear the following dialogue:

      Nǐ hǎo!
女：你 好！

      Nǐ hǎo!   Hěn gāoxìng rènshi nǐ.
男：你 好！ 很 高兴 认识 你。

And you can see the following pictures:

Among the pictures given, B is the right choice, in which two persons are shaking hands.

Part IV

There are 5 questions altogether in this part. Yon will hear that a person speaks a sentence first and then the second speaker asks a question about it. You are asked to choose the right answer from the three choices given. For example, you hear:

Xiàwǔ wǒ qù shāngdiàn, wǒ xiǎng mǎi yìxiē shuǐguǒ.
下午 我 去 商店, 我 想 买 一些 水果。

　　　　　Tā xiàwǔ qù nǎlǐ?
问：他 下午 去 哪里？

你在试卷上看到三个选项：

　　　shāngdiàn　　　　　　　yīyuàn　　　　　　　xuéxiào
A　　商店　　　　　　B　医院　　　　　　C　学校

正确答案是 A：

　　　shāngdiàn　　　　　　　yīyuàn　　　　　　　xuéxiào
A　　商店　　√　　　　B　医院　　　　　　C　学校

阅　读

第一部分　共 5 个题，是对所给图片和词语是否一致进行判断。图片是电脑，所给词是电视，所以是错的；"飞机"的图片和所给词是一致的，所以是对的：

🖥️	diànshì 电视	×
✈️	fēijī 飞机	√

第二部分　共 5 个题，给出 5 个句子，要求选择相应的图片。示例句子为"我很喜欢这本书"，所给图片为：

A 　　　B  　　　C

Xiàwǔ wǒ qù shāngdiàn, wǒ xiǎng mǎi yìxiē shuǐguǒ.
下午 我 去 商店, 我 想 买 一些 水果。

Tā xiàwǔ qù nǎlǐ?
问：他 下午 去 哪里？

You have three options on the paper:

shāngdiàn   yīyuàn   xuéxiào
A   商店   B   医院   C   学校

The answer is A:

shāngdiàn   yīyuàn   xuéxiào
A   商店   √   B   医院   C   学校

Reading

Part I

There are 5 questions altogether. You are asked to decide whether each picture is the right one for the word or expression given. The picture shows a computer and the word given is "电视", so it is wrong. And the next picture shows a plane, which corresponds to the word given, "飞机", so it is right.

	diànshì 电视	×
	fēijī 飞机	√

Part II

There are 5 questions altogether. You are given 5 sentences and are asked to choose the corresponding pictures. For example, the sentence is "我很喜欢这本书", and you are given the following pictures:

A   B    C

D 　　　　E　　　　F

图片 B 是一个人正在看书，所以应该选 B：

Wǒ hěn xǐhuan zhè běn shū.
我 很 喜欢 这 本 书。　　　B

第三部分　共 5 个题，给出五个简单对话的上文，要求选择与之搭配的下文。在选项中，C"好的，谢谢。"是"你喝水吗？"合适的下文，因此 C 是正确答案：C。

第四部分　一共 5 个题，要求选择词语完成句子或对话。例如，你看到若干个词语，又看到一个句子：

qǐngwèn　　　bú kèqi　　　qǐchuáng　　　wèi　　　míngzi　　　dàgài
A 请问　　B 不客气　　C 起床　　D 位　　E 名字　　F 大概

Nǐ jiào shénme
你 叫 什么 （　　　）？

所给词 E"名字"是合适的选项，因此应在括号中填 E：

Nǐ jiào shénme
你 叫 什么 （　E　）？

需要注意的是，新 HSK 考试听力部分结束后，有 5 分钟填写答题卡。阅读部分和书写部分没有单独的填写答题卡时间。填写答题卡时，应该把正确的答案√、×或所对应的字母 A B C D 涂黑。例如：

1. [√]　[×]　　　　6. [A]　[B]　[C]

D  E  F

In picture B, a man is reading a book, so you should select B:

Wǒ hěn xǐhuan zhè běn shū.
我 很 喜欢 这 本 书。 　　　 B

Part III

There are 5 questions altogether. You are given the sentence spoken by the first speaker of each of the 5 simple dialogues and are asked to choose the right response of the second speaker. Among the choices given, C, "好的，谢谢", is the correct response to "你喝水吗？", so C is the right answer.

Part IV

There are 5 questions altogether. You are asked to choose the right words or expressions to complete the sentences or dialogues. For example, you are given several words or expressions and a sentence,

　　qǐngwèn　　bú kèqi　　qǐchuáng　　wèi　　míngzi　　dàgài
A 请问　　B 不客气　　C 起床　　D 位　　E 名字　　F 大概

Nǐ jiào shénme
你 叫 什么 （ 　　 ）?

The word "名字" in choice E is the right choice, so the answer is E:

Nǐ jiào shénme
你 叫 什么 （ E ）?

It is noteworthy that after the listening part of New HSK, five minutes are provided for test takers to fill in the answer sheet, while there is no such time after the reading part or the writing part. Mark √, × or the corresponding A, B, C, or D using a pencil on the answer sheet provided. For example:

　　1. [√]　　[×]　　　　6. [A]　　[B]　　[C]

新汉语水平考试
模拟试卷 ≫≫≫≫

新汉语水平考试

HSK（一级）模拟试卷 *1*

注　　意

一、HSK（一级）分两部分：

    1. 听力（20题，约15分钟）

    2. 阅读（20题，17分钟）

二、听力结束后，有3分钟填写答题卡。

三、全部考试约40分钟（含考生填写个人信息时间5分钟）。

一、听 力

第一部分

第 1-5 题

例如：		√
		×
1.		
2.		
3.		
4.		
5.		

第二部分

第 6–10 题

例如：			
	A ✓	B	C
6.	A	B	C
7.	A	B	C
8.	A	B	C

9.	A	B	C
10.	A	B	C

第三部分

第 11-15 题

A　

B　

C　

D　

E　

F　

例如：
　　　　Nǐ hǎo!
女：你好！

　　　　Nǐ hǎo!　Hěn gāoxìng rènshi nǐ.
男：你好！很 高兴 认识 你。　　　　| B |

11.　　　　　| |

12.　　　　　| |

13.　　　　　| |

14.　　　　　| |

15.　　　　　| |

第四部分

第 16-20 题

例如：
Xiàwǔ wǒ qù shāngdiàn, wǒ xiǎng mǎi yìxiē shuǐguǒ.
下午 我 去 商店， 我 想 买 一些 水果。

问：
Tā xiàwǔ qù nǎlǐ?
他 下午 去 哪里？

shāngdiàn	yīyuàn	xuéxiào
A 商店 √	B 医院	C 学校

	huàn rénmínbì	huàn rìyuán	huàn měiyuán
16. A 换 人民币	B 换 日元	C 换 美元

méi qǐchuáng	chídào le	méi lái shàngkè
17. A 没 起床	B 迟到 了	C 没来 上课

Měiguó	Rìběn	Hánguó
18. A 美国	B 日本	C 韩国

xīngqī'èr	xīngqīsān	xīngqīwǔ
19. A 星期 二	B 星期三	C 星期五

zuò gōnggòng qìchē	zuò huǒchē	zuò chūzūchē
20. A 坐 公共 汽车	B 坐 火车	C 坐 出租车

二、阅 读

第一部分

第 21-25 题

例如：		diànshì 电视	×
		fēijī 飞机	√
21.		bīngxiāng 冰箱	
22.		chūzūchē 出租车	
23.		pǎo 跑	
24.		miànbāo 面包	
25.		chūnlián 春联	

第二部分

第 26-30 题

A ![苹果]

B ![看书]

C ![美国国旗]

D ![学习的人]

E ![吃饭]

F ![踢足球]

Wǒ hěn xǐhuan zhè běn shū.
例如：我 很 喜欢 这 本 书。　　　　　B

Tā zhèngzài chī fàn.
26. 他 正在 吃饭。　　　　　□

Wǒmen zài tī zúqiú.
27. 我们 在 踢 足球。　　　　　□

Wǒ lèi le, xiǎng xiūxi yíhuìr.
28. 我 累了，想 休息 一会儿。　　　　　□

Tā xià ge xīngqī zuò fēijī qù Měiguó.
29. 她 下 个 星期 坐 飞机 去 美国。　　　　　□

Wǒ xǐhuan chī píngguǒ.
30. 我 喜欢 吃 苹果。　　　　　□

第三部分

第 31-35 题

Nǐ hē shuǐ ma?
例如：你 喝 水 吗？   C   A   Sān yuán yì jīn.
三 元 一 斤。

Nǐ xǐhuan shénme yánsè?
31. 你 喜欢 什么 颜色？   ☐   B   Zuò fēijī qù de.
坐 飞机 去 的。

Nǐ shì zěnme qù Hǎinán de?
32. 你 是 怎么 去 海南 的？   ☐   C   Hǎo de, xièxie!
好 的，谢谢！

Túshūguǎn zài nǎr?
33. 图书馆 在 哪儿？   ☐   D   Hóngsè.
红色。

Xiāngjiāo duōshao qián yì jīn?
34. 香蕉 多少 钱 一 斤？   ☐   E   Wǒ xìng Wáng.
我 姓 王。

Nín guì xìng?
35. 您 贵 姓？   ☐   F   Zài běibian.
在 北边。

第四部分

第 36-40 题

	qǐngwèn		bú kèqi		qǐchuáng		wèi		míngzi		dàgài
A	请问	B	不客气	C	起床	D	位	E	名字	F	大概

例如：
Nǐ jiào shénme
你 叫 什么 （ **E** ）？

36.
Zhè   shì Lǐ lǎoshī.
这 （   ） 是 李 老师 。

37.
diànyǐngyuàn zěnme zǒu?
（   ），电影院 怎么 走？

38.
Wǒ měi tiān liù diǎn
我 每 天 6 点 （   ）。

39. 男：
Nǐ zhīdao cóng Běijīng dào Shànghǎi yǒu duō yuǎn ma?
你 知道 从 北京 到 上海 有 多 远 吗？

女：
yǒu liǎng qiān duō gōnglǐ ba.
（   ）有 两 千 多 公里 吧。

40. 男：
Xièxie nǐ bāngzhù wǒ.
谢谢 你 帮助 我。

女：（   ）。

新汉语水平考试

HSK（一级）模拟试卷2

注　意

一、HSK（一级）分两部分：

　　1. 听力（20题，约15分钟）

　　2. 阅读（20题，17分钟）

二、听力结束后，有3分钟填写答题卡。

三、全部考试约40分钟（含考生填写个人信息时间5分钟）。

一、听 力

第一部分

第 1-5 题

例如：		√
		×
1.		
2.		
3.		
4.		
5.		

第二部分

第 6-10 题

例如：			
	A √	B	C
6.			
	A	B	C
7.			
	A	B	C
8.			
	A	B	C

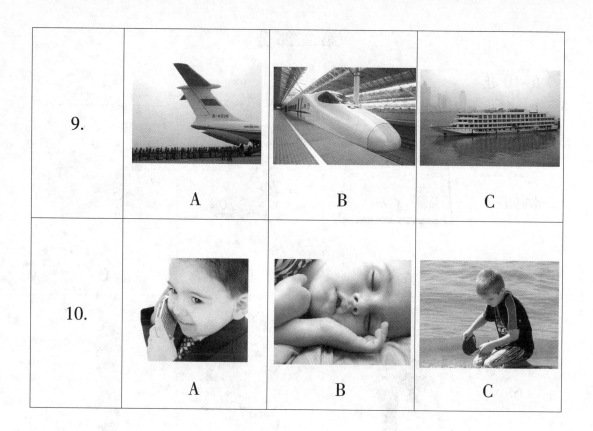

第三部分

第 11-15 题

A

B

C

D

E

F

Nǐ hǎo!
例如：女：你好！

Nǐ hǎo!　Hěn gāoxìng rènshi nǐ.
男：你好！ 很 高兴 认识你。　　　　　　D

11. 　　　　　　☐

12. 　　　　　　☐

13. 　　　　　　☐

14. 　　　　　　☐

15. 　　　　　　☐

第四部分

第 16–20 题

Xiàwǔ wǒ qù shāngdiàn, wǒ xiǎng mǎi yìxiē shuǐguǒ.
例如：下午 我 去 商店， 我 想 买 一些 水果。

Tā xiàwǔ qù nǎlǐ?
问：他 下午 去 哪里？

shāngdiàn A 商店 √	yīyuàn B 医院	xuéxiào C 学校

16.
hěn hǎochī A 很 好吃	hěn guì B 很 贵	hěn piányi C 很 便宜

17.
sān ge xiǎoshí A 三 个 小时	sì ge xiǎoshí B 四 个 小时	wǔ ge xiǎoshí C 五 个 小时

18.
yí liàng A 一 辆	liǎng liàng B 两 辆	sān liàng C 三 辆

19.
zuǒbian A 左边	zhōngjiān B 中间	yòubian C 右边

20.
yínháng A 银行	xuéxiào B 学校	yóujú C 邮局

二、阅 读

第一部分

第 21-25 题

例如：		diànshì 电视	√
		fēijī 飞机	×
21.		bēizi 杯子	
22.		bàngōngshì 办公室	
23.		gāngbǐ 钢笔	
24.		báicài 白菜	
25.		jī 鸡	

第二部分

第 26-30 题

A

B

C

D

E

F

Wǒ hěn xǐhuan zhè běn shū.
例如：我 很 喜欢 这 本 书。　　　　　　　　C

Wǒ měitiān qí zìxíngchē qù xuéxiào.
26. 我 每天 骑 自行车 去 学校。

Wǒ jiā yǒu sān kǒu rén.
27. 我 家 有 三 口 人。

Wǒ xiǎng chī miàntiáor.
28. 我 想 吃 面条儿。

Tā huì zuò Zhōngguó cài.
29. 他 会 做 中国 菜。

Tāmen sān ge dōu shì liúxuéshēng.
30. 他们 三个 都 是 留学生。

第三部分

第 31-35 题

例如：
Nǐ hē shuǐ ma?
你 喝 水 吗?　　　| D |　　A
Bù, hěn yuǎn.
不, 很 远。

31.
Wǒmen qù nǎr cānguān?
我们 去 哪儿 参观?　　| |　　B
Liǎng zhāng.
两 张。

32.
Nàr lí zhèr shì bu shì hěn jìn?
那儿 离 这儿 是 不 是 很 近?　　| |　　C
Bówùguǎn.
博物馆。

33.
Nǐ néng hé wǒmen yìqǐ qù lǚxíng ma?
你 能 和 我们 一起 去 旅行 吗?　| |　　D
Hǎo de, xièxie!
好 的, 谢谢!

34.
Tāmen zài zuò shénme ne?
他们 在 做 什么 呢?　　| |　　E
Dāngrán kěyǐ.
当然 可以。

35.
Nǐ de sùshè yǒu jǐ zhāng chuáng?
你 的 宿舍 有 几 张 床?　| |　　F
Dǎ páiqiú.
打 排球。

第四部分

第 36-40 题

    yóupiào   qǐchuáng   zhīdào   xièxie   míngzi   cāochǎng

A 邮票   B 起床   C 知道   D 谢谢   E 名字   F 操场

Nǐ jiào shénme

例如：你 叫 什么 （ E ）?

Zǎoshang wǒ chángcháng qù   pǎobù.

36. 早上 我 常常 去（   ）跑步。

Tā qù yóujú mǎi

37. 他 去 邮局 买 （   ）。

Wǒ liù diǎn,   qī diǎn chī zǎofàn.

38. 我 六 点 （   ），七 点 吃 早饭。

Nín   túshūguǎn zài nǎr ma?

39. 男：您 （   ）图书馆 在 哪儿 吗?

Zài jiàoxuélóu de xībian.

女：在 教学楼 的 西边。

Nín shēntǐ hǎo ma?

40. 男：您 身体 好 吗?

wǒ shēntǐ hěn hǎo.

女：（   ），我 身体 很 好。

新汉语水平考试

HSK（一级）模拟试卷 *3*

注　意

一、HSK（一级）分两部分：

　　1. 听力（20题，约15分钟）

　　2. 阅读（20题，17分钟）

二、听力结束后，有3分钟填写答题卡。

三、全部考试约40分钟（含考生填写个人信息时间5分钟）。

一、听 力

第一部分

第1-5题

例如：		√
		×
1.		
2.		
3.		
4.		
5.		

第二部分

第 6-10 题

例如：	 A √	 B	 C
6.	 A	 B	 C
7.	 A	 B	 C
8.	 A	 B	 C

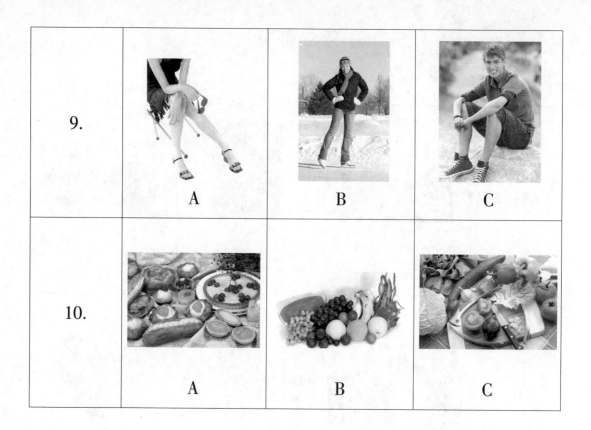

9. A B C

10. A B C

第三部分

第 11-15 题

A

B

C

D

E

F

例如：女：Nǐ hǎo!
你好！

男：Nǐ hǎo! Hěn gāoxìng rènshi nǐ.
你好！ 很 高兴 认识 你。

E

11.

12.

13.

14.

15.

第四部分

第 16–20 题

Xiàwǔ wǒ qù shāngdiàn, wǒ xiǎng mǎi yìxiē shuǐguǒ.
例如： 下午 我 去 商店, 我 想 买 一些 水果。

Tā xiàwǔ qù nǎlǐ?
问：他 下午 去 哪里？

shāngdiàn A 商店 √	yīyuàn B 医院	xuéxiào C 学校

yóuyǒng 16. A 游泳	chànggē B 唱歌	tiàowǔ C 跳舞

Yīngyǔ 17. A 英语	shùxué B 数学	Hànyǔ C 汉语

zuò cài 18. A 做 菜	xiě Hànzì B 写 汉字	huà huàr C 画 画儿

liǎng jié 19. A 两 节	sān jié B 三 节	sì jié C 四 节

jiā 20. A 家	xuéxiào B 学校	túshūguǎn C 图书馆

二、阅 读

第一部分

第 21–25 题

例如：		diànshì 电视	×
		fēijī 飞机	√
21.		hēibǎn 黑板	
22.		cāochǎng 操场	
23.		xiào 笑	
24.		xiāngjiāo 香蕉	
25.		màozi 帽子	

第二部分

第 26-30 题

A

B

C

D

E

F

Wǒ hěn xǐhuan zhè běn shū.

例如：我 很 喜欢 这 本 书。　　　　　E

Jímǐ jīnnián sān suì.

26. 吉米 今年 三 岁。

Wǒ míngtiān zuò huǒchē qù Shànghǎi.

27. 我 明天 坐 火车 去 上海。

Tā zài jiā kàn shū ne.

28. 她 在 家 看 书 呢。

Hǎi shang yǒu zhī chuán.

29. 海 上 有 只 船。

Yuèliang hěn dà.

30. 月亮 很 大。

第三部分

第 31-35 题

Nǐ hē shuǐ ma?
例如：你 喝 水 吗？ | C | A Bú tài máng.
                                          不 太 忙。

Nǐ de jiāxiāng zài nǎr?
31. 你 的 家乡 在 哪儿？ | | B Jiǎozi.
                                          饺子。

Nǐ nǎ yì nián dàxué bìyè?
32. 你 哪 一 年 大学 毕业？ | | C Hǎo de, xièxie!
                                          好 的，谢谢！

Nǐ chī shénme?
33. 你 吃 什么？ | | D Wǒ xǐhuan tīng yīnyuè.
                                          我 喜欢 听 音乐。

Nǐ gōngzuò máng ma?
34. 你 工作 忙 吗？ | | E Míngnián.
                                          明年。

Nǐ yǒu shénme àihào?
35. 你 有 什么 爱好？ | | F Liáoníng Shěng.
                                          辽宁 省。

第四部分

第 36-40 题

	huàn		zhuōzi		jièshào		nán		míngzi		háishi
A	换	B	桌子	C	介绍	D	难	E	名字	F	还是

Nǐ jiào shénme
例如：你 叫 什么 （ E ）?

Wǒ yí xià, zhè wèi shì Wáng lǎoshī.
36. 我 （   ） 一 下，这 位 是 王 老师。

Tā qù yínháng qián.
37. 他 去 银行 （   ） 钱。

Nǐ juéde xuéxí Hànyǔ ma?
38. 你 觉得 学习 汉语 （   ） 吗?

Nǐ hē chá hē kāfēi?
39. 男：你 喝 茶 （   ） 喝 咖啡?

Wǒ hē kāfēi.
女：我 喝 咖啡。

Zhè zhāng yǒu duō cháng?
40. 男：这 张 （   ） 有 多 长?

Yǒu liǎng mǐ cháng.
女：有 两 米 长。

新汉语水平考试

HSK（一级）模拟试卷 4

注　意

一、HSK（一级）分两部分：

    1. 听力（20题，约15分钟）

    2. 阅读（20题，17分钟）

二、**听力结束后，有3分钟填写答题卡。**

三、全部考试约40分钟（含考生填写个人信息时间5分钟）。

一、听 力

第一部分

第1-5题

例如：		√
		×
1.		
2.		
3.		
4.		
5.		

第二部分

第 6–10 题

例如：	 A √	 B	 C
6.	 A	 B	 C
7.	 A	 B	 C
8.	 A	 B	 C

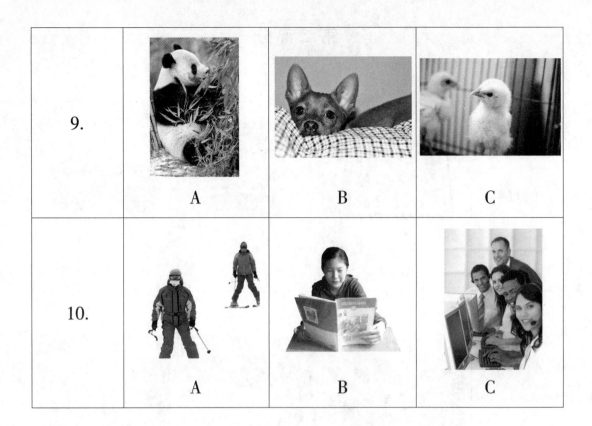

第三部分

第 11–15 题

A

B

C

D

E

F

例如：女：你好！

Nǐ hǎo!

男：你好！ 很 高兴 认识 你。

Nǐ hǎo! Hěn gāoxìng rènshi nǐ.

| C |

11.

12.

13.

14.

15.

第四部分

第 16-20 题

例如：
Xiàwǔ wǒ qù shāngdiàn, wǒ xiǎng mǎi yìxiē shuǐguǒ.
下午 我 去 商店， 我 想 买 一些 水果。

Tā xiàwǔ qù nǎlǐ?
问：他 下午 去 哪里？

shāngdiàn	yīyuàn	xuéxiào
A 商店 √	B 医院	C 学校

16.
Měiguó rén	Zhōngguó rén	Yīngguó rén
A 美国 人	B 中国 人	C 英国 人

17.
yí jiàn	liǎng jiàn	sān jiàn
A 一件	B 两 件	C 三 件

18.
yǔfǎ	tīnglì	Hànzì
A 语法	B 听力	C 汉字

19.
hóngsè	huángsè	lánsè
A 红色	B 黄色	C 蓝色

20.
jiějie	mèimei	gēge
A 姐姐	B 妹妹	C 哥哥

二、阅 读

第一部分

第 21–25 题

例如：		diànshì 电视	✕
		fēijī 飞机	√
21.		xiǎo cǎo 小 草	
22.		qìchē 汽车	
23.		xiě 写	
24.		dōngtiān 冬天	
25.		júzi 橘子	

第二部分

第 26-30 题

A

B

C

D

E

F

Wǒ hěn xǐhuan zhè běn shū.

例如：我 很 喜欢 这 本 书。 | D |

Wǒ yǒu yí liàng xiǎo qìchē.

26. 我 有 一 辆 小 汽车。

Zhè shì tāmen yì jiā sān kǒu rén de zhàopiàn.

27. 这 是 他们 一家 三 口 人 的 照片。

Xiànzài wǒ zhèng gēn yí ge Zhōngguó péngyou xué shūfǎ.

28. 现在 我 正 跟 一个 中国 朋友 学 书法。

Wǒ hé péngyoumen míngtiān qù páshān.

29. 我 和 朋友们 明天 去 爬山。

Wǒ xǐhuan wánr diànnǎo.

30. 我 喜欢 玩儿 电脑。

第三部分

第 31–35 题

Nǐ hē shuǐ ma?
例如：你 喝 水 吗？   [C]

Bù xǐhuan.
A 不 喜欢。

Nà shì shénme?
31. 那 是 什么？   [ ]

Búcuò.
B 不错。

Xiàwǔ nǐ qù shāngdiàn háishi qù túshūguǎn?
32. 下午 你 去 商店 还是 去 图书馆？   [ ]

Hǎo de, xièxie!
C 好 的，谢谢！

Nǐ xǐhuan dǎ lánqiú ma?
33. 你 喜欢 打 篮球 吗？   [ ]

Túshūguǎn.
D 图书馆。

Nǐ jīnnián duō dà?
34. 你 今年 多 大？   [ ]

Miàntiáor.
E 面条儿。

Zhè běn cídiǎn zěnmeyàng?
35. 这 本 词典 怎么样？   [ ]

Shíbā suì.
F 18 岁。

第四部分

第36-40题

	A	B	C	D	E	F
	xǐhuan	xìngqù	jiāo	chāoshì	míngzi	shíhou
	喜欢	兴趣	教	超市	名字	时候

Nǐ jiào shénme
例如：你 叫 什么 （ E ）?

Lǐ lǎoshī   wǒmen tīnglì hé kǒuyǔ.
36. 李 老师 （   ） 我们 听力 和 口语。

Wǒ   huà Zhōngguóhuàr.
37. 我 （   ） 画 中国画儿。

Wǒmen chángcháng qù   mǎi dōngxi.
38. 我们 常常 去 （   ） 买 东西。

Nǐmen shénme   huílai?
39. 男：你们 什么 （   ） 回来?

Xiàwǔ sì diǎn.
女：下午 4 点。

Nǐ duì shénme gǎn
40. 男：你 对 什么 感 （   ）?

Jīngjù.
女：京剧。

新汉语水平考试

HSK（一级）模拟试卷 **5**

注　意

一、HSK（一级）分两部分：

　　1. 听力（20题，约15分钟）

　　2. 阅读（20题，17分钟）

二、听力结束后，有3分钟填写答题卡。

三、全部考试约40分钟（含考生填写个人信息时间5分钟）。

一、听　力

第一部分

第 1-5 题

例如：		√
		×
1.		
2.		
3.		
4.		
5.		

第二部分

第6-10题

例如：	A √	B	C
6.	A	B	C
7.	A	B	C
8.	A	B	C

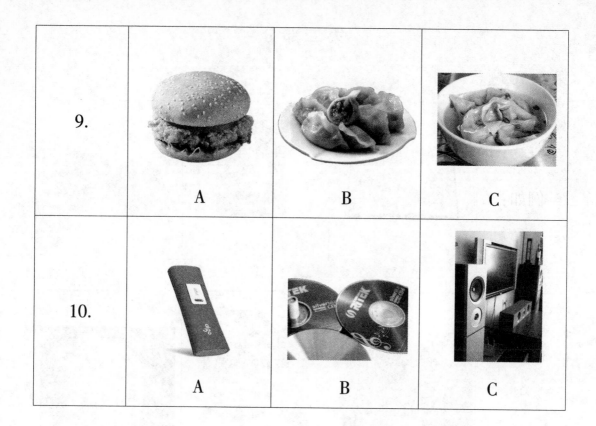

第三部分

第 11-15 题

A

B

C

D

E

F

例如：女：Nǐ hǎo!
你好！

男：Nǐ hǎo! Hěn gāoxìng rènshi nǐ.
你好！ 很 高兴 认识 你。

D

11.

12.

13.

14.

15.

第四部分

第 16-20 题

Xiàwǔ wǒ qù shāngdiàn,　wǒ xiǎng mǎi yìxiē shuǐguǒ.
例如：下午 我 去　商店，　我 想 买 一些 水果。

Tā xiàwǔ qù nǎlǐ?
问：他 下午 去 哪里？

shāngdiàn	yīyuàn	xuéxiào
A 商店　√	B 医院	C 学校

lǎoshī	xuésheng	yīshēng
16. A 老师	B 学生	C 医生

suì	suì	suì
17. A 20 岁	B 30 岁	C 40 岁

xīngqīsān	xīngqīsì	xīngqīwǔ
18. A 星期三	B 星期四	C 星期五

Lǐ xiǎojiě	Zhāng xiānsheng	Wáng xiǎojiě
19. A 李 小姐	B 张 先生	C 王 小姐

liǎng zhī	sān zhī	sì zhī
20. A 两 支	B 三 支	C 四 支

二、阅 读

第一部分

第 21–25 题

例如：		diànshì 电视	×
		fēijī 飞机	√
21.		gāoxìng 高兴	
22.		yǐzi 椅子	
23.		rénmínbì 人民币	
24.		chànggē 唱歌	
25.		hàomǎ 号码	

第二部分

第 26-30 题

A

B

C

D

E

F

Wǒ hěn xǐhuan zhè běn shū.
例如：我 很 喜欢 这 本 书。　　　　　　F

Tāmen shì liúxuéshēng.
26. 他们 是 留学生。

Bàba mǎile yí ge xīguā.
27. 爸爸 买了 一 个 西瓜。

Shūjià shang yǒu hěn duō shū.
28. 书架 上 有 很 多 书。

Tāmen zhèngzài tiàowǔ ne.
29. 他们 正在 跳舞 呢。

Wǒ xiǎng qù shāngchǎng mǎi yīfu.
30. 我 想 去 商场 买 衣服。

第三部分

第 31-35 题

Nǐ hē shuǐ ma?
例如：你 喝 水 吗？ | B | A Hǎo de.
好 的。

31. Nǐ wǎnshang qù kàn diànyǐng ma?
你 晚上 去 看 电影 吗？ | | B Hǎo de, xièxie!
好 的，谢谢！

32. Nǐ wǎnshang cháng zuò shénme?
你 晚上 常 做 什么？ | | C Méi guānxi.
没 关系。

33. Zhè zhāng chuáng duōshao qián?
这 张 床 多少 钱？ | | D Wǒ cháng kàn diànshì.
我 常 看 电视。

34. Nǐ gēn wǒ yìqǐ qù, hǎo ma?
你 跟 我 一起 去，好 吗？ | | E Wǒ kànguo le.
我 看过 了。

35. Duìbuqǐ.
对不起。 | | F yuán.
2000 元。

第四部分

第 36–40 题

        tīng   yínháng   chá   chídào   míngzi   nǎ

A 听   B 银行   C 查   D 迟到   E 名字   F 哪

Nǐ jiào shénme

例如：你 叫 什么 （ E ）?

Duìbuqǐ, wǒ　　　　le.

36. 对不起，我 （ 　　 ） 了。

Tā zhèngzài　　　　yīnyuè ne.

37. 他 正在 （ 　　 ） 音乐 呢。

Wǒ chángcháng shàngwǎng　　　zīliào.

38. 我 常常 上网 （ 　　 ） 资料。

Nǐ xǐhuan chī　　　guó cài?

39. 男：你 喜欢 吃 （ 　　 ） 国 菜?

Wǒ xǐhuan chī Zhōngguó cài.

女：我 喜欢 吃 中国 菜。

Nǐ qù nǎr?

40. 男：你 去 哪儿?

Wǒ qù

女：我 去 （ 　　 ）。

新汉语水平考试

HSK（一级）模拟试卷 **6**

注　　意

一、HSK（一级）分两部分：

    1. 听力（20题，约15分钟）

    2. 阅读（20题，17分钟）

二、听力结束后，有3分钟填写答题卡。

三、全部考试约40分钟（含考生填写个人信息时间5分钟）。

一、听 力

第一部分

第 1–5 题

例如：		√
		×
1.		
2.		
3.		
4.		
5.		

第二部分

第 6-10 题

例如：	 A √	 B	 C
6.	 A	 B	 C
7.	 A	 B	 C
8.	 A	 B	 C

9.	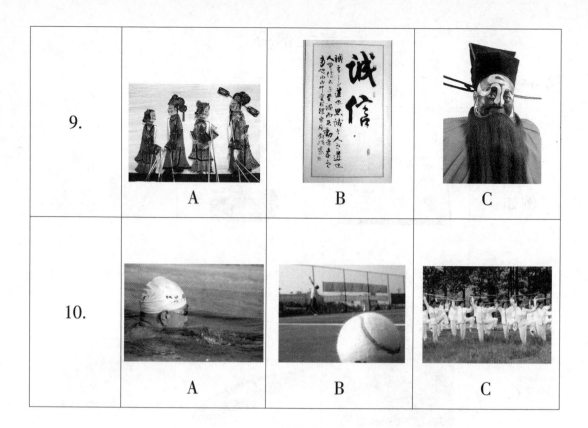		
	A	B	C
10.	A	B	C

第三部分

第 11–15 题

A

B

C

D

E

F

Nǐ hǎo!
例如：女：你 好！

Nǐ hǎo! Hěn gāoxìng rènshi nǐ.
男：你 好！ 很 高兴 认识 你。

F

11. ☐

12. ☐

13. ☐

14. ☐

15. ☐

第四部分

第 16—20 题

例如：
Xiàwǔ wǒ qù shāngdiàn, wǒ xiǎng mǎi yìxiē shuǐguǒ.
下午 我 去 商店， 我 想 买 一些 水果。

Tā xiàwǔ qù nǎlǐ?
问：他 下午 去 哪里？

shāngdiàn	yīyuàn	xuéxiào
A 商店 √	B 医院	C 学校

16.
xiě xìn	dǎ diànhuà	wánr diànnǎo
A 写信	B 打 电话	C 玩儿 电脑

17.
Shànghǎi Dàxué	Běijīng Dàxué	Qīnghuá Dàxué
A 上海 大学	B 北京 大学	C 清华 大学

18.
yǒudiǎnr duǎn	yǒudiǎnr cháng	yǒudiǎnr dà
A 有点儿 短	B 有点儿 长	C 有点儿 大

19.
Rìběn cài	Hánguó cài	Zhōngguó cài
A 日本 菜	B 韩国 菜	C 中国 菜

20.
chànggē	huà huàr	tiàowǔ
A 唱歌	B 画 画儿	C 跳舞

二、阅 读

第一部分

第 21-25 题

例如：		diànshì 电视	×
		fēijī 飞机	√
21.		dāo 刀	
22.		wǎn 碗	
23.		kùzi 裤子	
24.		māo 猫	
25.		zhàn 站	

第二部分

第 26-30 题

A

B

C

D

E

F

Wǒ hěn xǐhuan zhè běn shū.

例如：我 很 喜欢 这 本 书。　　　　　| C |

Qǐng búyào chōuyān.

26. 请 不要 抽烟。 　　　　| |

Tāmen shì xuésheng.

27. 她们 是 学生。 　　　　| |

Wǒ pǎo de hěn màn.

28. 我 跑 得 很 慢。 　　　　| |

Mǎlì de màozi shì báisè de.

29. 玛丽 的 帽子 是 白色 的。 　　| |

Zhèr de dàngāo yòu hǎochī yòu piányi.

30. 这儿 的 蛋糕 又 好吃 又 便宜。 | |

第三部分

第 31–35 题

例如： Nǐ hē shuǐ ma?
你 喝 水 吗? [B]

A 对不起， 他 不 在 家。
Duìbuqǐ, tā bú zài jiā.

31. Cóng zhèr dào gōngyuán yǒu duō yuǎn?
从 这儿 到 公园 有 多 远? [ ]

B 好 的，谢谢!
Hǎo de, xièxie!

32. Zuò qìchē qù háishi zuò huǒchē qù?
坐 汽车 去 还是 坐 火车 去? [ ]

C 是 麦克 的。
Shì Màikè de.

33. Wèi, qǐngwèn, Wáng xiānsheng
喂， 请问， 王 先生 [ ]
zài jiā ma?
在 家 吗?

D 大概 有 三四 百 米。
Dàgài yǒu sān-sì bǎi mǐ.

34. Zhè shì shéi de biǎo?
这 是 谁 的 表? [ ]

E 今天 2 月 9 号。
Jīntiān èryuè jiǔ hào.

35. Jīntiān jǐ yuè jǐ hào?
今天 几 月 几 号? [ ]

F 坐 火车 去。
Zuò huǒchē qù.

第四部分

第 36-40 题

		dǎ		cānguān		juéde		zhuōzi		míngzi		yǒu
A	打	B	参观	C	觉得	D	桌子	E	名字	F	有

Nǐ jiào shénme
例如：你 叫 什么 （ E ）？

Nǐ de xiāngzi zài   xiàbian.
36. 你 的 箱子 在 （   ）下边。

Wǒ míngtiān qù   bówùguǎn.
37. 我 明天 去 （   ） 博物馆。

Zhèr   yí ge bēizi.
38. 这儿 （   ） 一 个 杯子。

Nǐ shénme shíhou gěi Lìli   de diànhuà?
39. 男：你 什么 时候 给 丽丽 （   ） 的 电话？

Zuótiān wǎnshang.
女：昨天 晚上。

Nǐ   zhè zhǒng kāfēi hǎohē ma?
40. 男：你 （   ） 这 种 咖啡 好喝 吗？

Bú tài hǎohē.
女：不太 好喝。

新汉语水平考试

HSK（一级）模拟试卷 *7*

注　意

一、HSK（一级）分两部分：

　　1. 听力（20题，约15分钟）

　　2. 阅读（20题，17分钟）

二、听力结束后，有3分钟填写答题卡。

三、全部考试约40分钟（含考生填写个人信息时间5分钟）。

一、听 力

第一部分

第1-5题

例如：		√
		×
1.		
2.		
3.		
4.		
5.		

第二部分

第 6-10 题

例如：	 A √	 B	 C
6.	 A	 B	 C
7.	 A	 B	 C
8.	 A	 B	 C

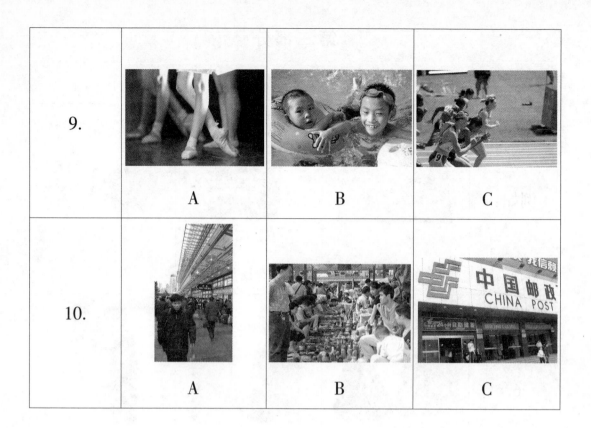

第三部分

第 11-15 题

A

B

C

D

E

F

例如：女：Nǐ hǎo!
你好!

男：Nǐ hǎo! Hěn gāoxìng rènshi nǐ.
你好! 很 高兴 认识 你。

E

11. ☐

12. ☐

13. ☐

14. ☐

15. ☐

第四部分

第 16-20 题

例如：
Xiàwǔ wǒ qù shāngdiàn, wǒ xiǎng mǎi yìxiē shuǐguǒ.
下午 我 去 商店， 我 想 买 一些 水果。

问：
Tā xiàwǔ qù nǎlǐ?
他 下午 去 哪里？

shāngdiàn	yīyuàn	xuéxiào
A 商店 √	B 医院	C 学校

16.
dà	xiǎo	bú dà bù xiǎo
A 大	B 小	C 不大不小

17.
Yīngyǔ	Fǎyǔ	Hànyǔ
A 英语	B 法语	C 汉语

18.
yòng diànnǎo	dǎ diànhuà	xiě xìn
A 用 电脑	B 打 电话	C 写 信

19.
liǎng suì	sān suì	sì suì
A 两 岁	B 三 岁	C 四 岁

20.
xuéxiào	shāngdiàn	gōngyuán
A 学校	B 商店	C 公园

二、阅 读

第一部分

第 21–25 题

例如：		diànshì 电视	×
		fēijī 飞机	√
21.		xiàtiān 夏天	
22.		dàxuéshēng 大学生	
23.		fēi 飞	
24.		dàhǎi 大海	
25.		bǐjìběn 笔记本	

第二部分

第 26-30 题

A

B

C

D

E

F

Wǒ hěn xǐhuan zhè běn shū.
例如：我 很 喜欢 这 本 书。　　　　　E

Wǒ néng yòngyong nǐ de diànnǎo ma?
26. 我 能 用用 你 的 电脑 吗？　　　☐

Wǒ duì jīngjù hěn gǎn xìngqù.
27. 我 对 京剧 很 感 兴趣。　　　☐

Zhù nǐ shēngrì kuàilè!
28. 祝 你 生日 快乐！　　　☐

Wǒ zuò dìtiě shàngxué.
29. 我 坐 地铁 上学。　　　☐

Wǒ měi tiān zǎoshang hē niúnǎi.
30. 我 每 天 早上 喝 牛奶。　　　☐

第三部分

第 31-35 题

例如：
Nǐ hē shuǐ ma?
你 喝 水 吗? ☐ E

A
Yǒu liǎng jiàn yīfu hé
有 两 件 衣服 和
sān tiáo kùzi.
三 条 裤子。

31.
Nǐ yào piányi de háishi guì de?
你 要 便宜 的 还是 贵 的? ☐

B
Zài zhuōzi shang.
在 桌子 上。

32.
Nǐ qù Běijīng zuò shénme?
你 去 北京 做 什么? ☐

C
Wǒ yào piányi de.
我 要 便宜 的。

33.
Nǐ chángcháng qù túshūguǎn ma?
你 常常 去 图书馆 吗? ☐

D
Lǚxíng.
旅行。

34.
Nàge xiāngzi lǐ yǒu shénme?
那个 箱子 里 有 什么? ☐

E
Hǎo de, xièxie!
好 的, 谢谢!

35.
Wǒ de shǒubiǎo ne?
我 的 手表 呢? ☐

F
Wǒ hěn shǎo qù.
我 很 少 去。

第四部分

第 36-40 题

	xìng		huì		kāishǐ		shāngchǎng		míngzi		zài
A	姓	B	会	C	开始	D	商场	E	名字	F	在

Nǐ jiào shénme
例如：你 叫 什么 （ E ）？

Wǒ zhǐ　　　　　shuō yìdiǎnr Yīngyǔ.
36. 我 只 （　　）说 一点儿 英语。

Wǒ xīngqītiān qù　　　　mǎi yīfu.
37. 我 星期天 去 （　　　）买 衣服。

Tā zhōngwǔ　　　　shítáng chī fàn.
38. 他 中午 （　　　）食堂 吃 饭。

Nín guì xìng?
39. 男：您 贵 姓？

Wǒ　　　Zhāng.
女：我 （　　　）张。

Shénme shíhou　　　shàngkè?
40. 男：什么 时候 （　　）上课？

Bā diǎn.
女：八 点。

新汉语水平考试

HSK（一级）模拟试卷 *8*

注　意

一、HSK（一级）分两部分：

    1. 听力（20题，约15分钟）

    2. 阅读（20题，17分钟）

二、**听力结束后，有3分钟填写答题卡。**

三、全部考试约40分钟（含考生填写个人信息时间5分钟）。

一、听 力

第一部分

第1–5 题

例如：		√
		×
1.		
2.		
3.		
4.		
5.		

第二部分

例如：	A √	B	C
6.	A	B	C
7.	A	B	C
8.	A	B	C

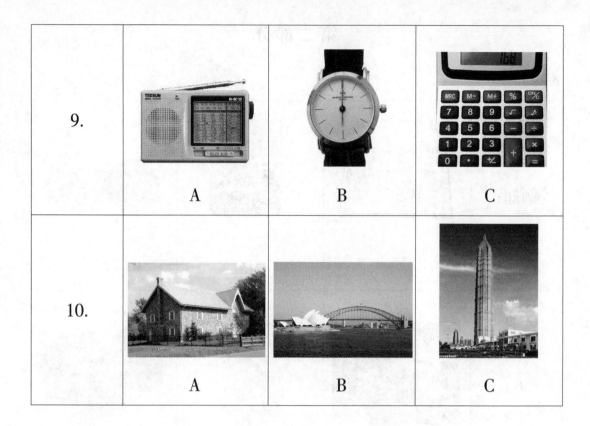

9.	A	B	C
10.	A	B	C

第三部分

第 11–15 题

A

B

C

D

E

F

Nǐ hǎo!
例如：女：你好！

Nǐ hǎo! Hěn gāoxìng rènshi nǐ.
男：你好！ 很 高兴 认识你。

C

11. ☐

12. ☐

13. ☐

14. ☐

15. ☐

第四部分

第 16-20 题

Xiàwǔ wǒ qù shāngdiàn, wǒ xiǎng mǎi yìxiē shuǐguǒ.
例如: 下午 我 去 商店, 我 想 买 一些 水果。

Tā xiàwǔ qù nǎlǐ?
问: 他 下午 去 哪里?

shāngdiàn	yīyuàn	xuéxiào
A 商店 √	B 医院	C 学校

16.
yī niánjí	èr niánjí	sān niánjí
A 一 年级	B 二 年级	C 三 年级

17.
yuán	yuán	yuán
A 200 元	B 300 元	C 400 元

18.
xǐzǎo	chī fàn	shuìjiào
A 洗澡	B 吃 饭	C 睡觉

19.
jīngjù	lánqiú	tàijíquán
A 京剧	B 篮球	C 太极拳

20.
hěn rè	hěn lěng	bú rè yě bù lěng
A 很 热	B 很 冷	C 不 热 也 不 冷

二、阅 读

第一部分

第 21–25 题

例如：		diànshì 电视	×
		fēijī 飞机	√
21.		gōngrén 工人	
22.		jīchǎng 机场	
23.		wàzi 袜子	
24.		mǎ 马	
25.		mǎi cài 买 菜	

第二部分

第 26–30 题

A

B

C

D

E

F

Wǒ hěn xǐhuan zhè běn shū.
例如：我 很 喜欢 这 本 书。　　　F

Tiān yīn le, yào xiàyǔ le.
26. 天 阴 了，要 下雨 了。

Wǒ huì zuò Zhōngguó cài.
27. 我 会 做 中国 菜。

Wǒ hé Xiǎoliàng yìqǐ dǎ páiqiú.
28. 我 和 小亮 一起 打 排球。

Tā zài chāoshì mǎi dōngxi ne.
29. 她 在 超市 买 东西 呢。

Tāmen jīntiān tèbié gāoxìng.
30. 他们 今天 特别 高兴。

第三部分

第 31–35 题

Nǐ hē shuǐ ma?
例如： 你 喝 水 吗?　　　[C]　　A　我 属 龙。
Wǒ shǔ lóng.

Zhè shì shéi jiā de háizi?
31.　这 是 谁 家 的 孩子?　　[　]　　B　我 不 想。
Wǒ bù xiǎng.

Nǐ qù nǎr lǚxíng?
32.　你 去 哪儿 旅行?　　　　[　]　　C　好 的，谢谢!
Hǎo de, xièxie!

Nǐ xiǎng kàn jīngjù ma?
33.　你 想 看 京剧 吗?　　　　[　]　　D　张 阿姨 家 的。
Zhāng āyí jiā de.

Wǎnshang nǐ cháng zuò shénme?
34.　晚上 你 常 做 什么?　　　[　]　　E　听 音乐 或者
Tīng yīnyuè huòzhě
看 电视。
kàn diànshì.

Nǐ shǔ shénme?
35.　你 属 什么?　　　　　　　[　]　　F　英国。
Yīngguó.

第四部分

第 36–40 题

	chūfā		gēn		shítáng		guā		míngzi		jì
A	出发	B	跟	C	食堂	D	刮	E	名字	F	寄

Nǐ jiào shénme
例如：你 叫 什么 （ E ）？

Xiàwǔ wǒ tóngwū yìqǐ qù túshūguǎn jiè shū.
36. 下午 我 （　　） 同屋 一起 去 图书馆 借 书。

Wǒmen míngtiān qī diǎn zhǔnshí
37. 我们 明天 七 点 准时 （　　）。

Tīngshuō zhèli de chūntiān jīngcháng fēng.
38. 听说 这里 的 春天 经常 （　　）风。

Nǐ qù yóujú xìn ma?
39. 男：你 去 邮局 （　　）信 吗？

Bù, wǒ bú qù.
女：不，我 不 去。

Zhōngwǔ nǐ qù nǎr chī fàn?
40. 男：中午 你 去 哪儿 吃 饭？

Wǒ qù
女：我 去 （　　）。

新汉语水平考试

HSK（一级）模拟试卷 *9*

注　意

一、HSK（一级）分两部分：

    1. 听力（20题，约15分钟）

    2. 阅读（20题，17分钟）

二、听力结束后，有3分钟填写答题卡。

三、全部考试约40分钟（含考生填写个人信息时间5分钟）。

一、听 力

第一部分

第 1-5 题

例如：		√
		×
1.		
2.		
3.		
4.		
5.		

第二部分

第 6-10 题

例如：	A √	B	C
6.	A	B	C
7.	A	B	C
8.	A	B	C

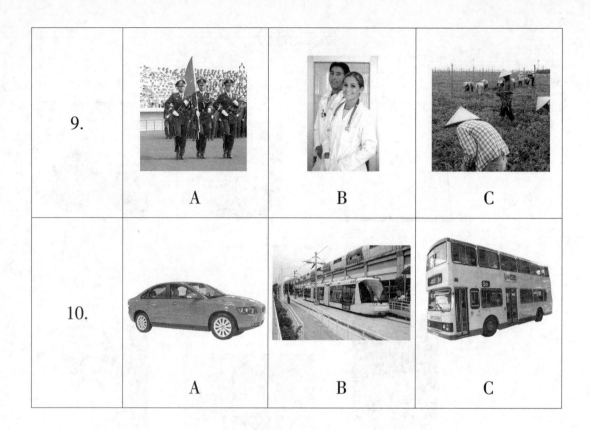

| 9. | A | B | C |
| 10. | A | B | C |

第三部分

第 11-15 题

A

B

C

D

E

F

Nǐ hǎo!
例如：女：你好！

　　　　Nǐ hǎo!　Hěn gāoxìng rènshi nǐ.
　　　男：你好！　很　高兴　认识你。　　　　D

11. □

12. □

13. □

14. □

15. □

第四部分

第 16–20 题

Xiàwǔ wǒ qù shāngdiàn, wǒ xiǎng mǎi yìxiē shuǐguǒ.
例如：下午 我 去 商店， 我 想 买 一些 水果。

Tā xiàwǔ qù nǎlǐ?
问：他 下午 去 哪里？

	shāngdiàn		yīyuàn		xuéxiào
A	商店 √	B	医院	C	学校

	diànshìjī		lùxiàngjī		zhàoxiàngjī
16. A	电视机	B	录像机	C	照相机

	bā ge		liǎng ge		yí ge
17. A	八个	B	两个	C	一个

	xīngqīsān		xīngqīsì		xīngqīwǔ
18. A	星期三	B	星期四	C	星期五

	hěn hǎo		hěn kǔ		hěn tián
19. A	很好	B	很苦	C	很甜

	Běijīng		Tiānjīn		Nánjīng
20. A	北京	B	天津	C	南京

二、阅 读

第一部分

第 21-25 题

例如：		diànshì 电视	×
		fēijī 飞机	√
21.		huàr 画儿	
22.		xiǎo gǒu 小 狗	
23.		chànggē 唱歌	
24.		chuán 船	
25.		yuèliang 月亮	

第二部分

第 26–30 题

A

B

C

D

E

F

Wǒ hěn xǐhuan zhè běn shū.
例如：我 很 喜欢 这 本 书。

B

Tā qǐng wǒ qù fàndiàn chī fàn.
26. 他 请 我 去 饭店 吃 饭。

Tàiyáng cóng dōngbian shēngqǐ.
27. 太阳 从 东边 升起。

Tā zúqiú tī de hěn hǎo.
28. 他 足球 踢 得 很 好。

Nǚ'ér xiǎng qù dòngwùyuán kàn lǎohǔ.
29. 女儿 想 去 动物园 看 老虎。

Lìli cháng yòng diànnǎo chá zīliào.
30. 丽丽 常 用 电脑 查 资料。

第三部分

第 31-35 题

Nǐ hē shuǐ ma?

例如：你 喝 水 吗？　　　**B**　　A　Gěi xiǎo gǒu xǐzǎo ne.
　　　　　　　　　　　　　　　　给 小 狗 洗澡 呢。

Nǐ xuéxí Yīngyǔ háishi Déyǔ?

31. 你 学习 英语 还是 德语？　　□　　B　Hǎo de, xièxie!
　　　　　　　　　　　　　　　　　好 的，谢谢！

Nǐ yóuyǒng yóule duō cháng shíjiān?

32. 你 游泳 游了多 长 时间？　　□　　C　Wǒ qǐchuáng wǎn le.
　　　　　　　　　　　　　　　　　我 起床 晚 了。

Nǐ zěnme chídào le?

33. 你 怎么 迟到 了？　　　　　□　　D　Wǒ xuéxí Déyǔ.
　　　　　　　　　　　　　　　　　我 学习 德语。

Tā zài zuò shénme?

34. 他 在 做 什么？　　　　　　□　　E　Bā diǎn.
　　　　　　　　　　　　　　　　　八 点。

Shàngwǔ jǐ diǎn shàngbān?

35. 上午 几 点 上班？　　　　　□　　F　Yí ge xiǎoshí.
　　　　　　　　　　　　　　　　　一 个 小时。

第四部分

第 36-40 题

	pài		yǒu		yínháng		xiǎng		míngzi		zài
A	派	B	有	C	银行	D	想	E	名字	F	再

Nǐ jiào shénme
例如：你 叫 什么 （ E ）?

Gōngsī   tā lái Zhōngguó.
36. 公司 （   ）他 来 中国。

Wǒ   kàn Zhōngguó diànyǐng.
37. 我 （   ）看 中国 电影。

Wǒ jiā   sì kǒu rén: bàba、 māma、 jiějie hé wǒ.
38. 我 家 （   ）四 口 人： 爸爸、 妈妈、 姐姐 和 我。

Tóngxuémen, tīngdǒng le ma?
39. 男：同学们，   听懂 了 吗?

Duìbuqǐ, lǎoshī, qǐng   shuō yí biàn.
女：对不起，老师，请（   ）说 一 遍。

Nǐ qù zuò shénme?
40. 男：你 去 做 什么?

Wǒ qù   qǔ qián.
女：我 去 （   ）取钱。

新汉语水平考试

HSK（一级）模拟试卷 *10*

注　　意

一、HSK（一级）分两部分：

    1. 听力（20题，约15分钟）

    2. 阅读（20题，17分钟）

二、听力结束后，有3分钟填写答题卡。

三、全部考试约40分钟（含考生填写个人信息时间5分钟）。

一、听　力

第一部分

第1-5题

例如：		√
		×
1.		
2.		
3.		
4.		
5.		

第二部分

第 6–10 题

例如：	 A √	 B	 C
6.	 A	 B	 C
7.	 A	 B	 C
8.	 A	 B	 C

第三部分

第 11-15 题

A		B	
C		D	
E		F	

Nǐ hǎo!
例如：女：你 好！

Nǐ hǎo! Hěn gāoxìng rènshi nǐ.
男：你 好！ 很 高兴 认识 你。　　　　　　B

11.

12.

13.

14.

15.

第四部分

第 16–20 题

Xiàwǔ wǒ qù shāngdiàn, wǒ xiǎng mǎi yìxiē shuǐguǒ.
例如：下午 我 去 商店， 我 想 买 一些 水果。

　　　Tā xiàwǔ qù nǎlǐ?
问：他 下午 去 哪里？

	shāngdiàn		yīyuàn		xuéxiào
	A 商店 √	B 医院		C 学校

	jiàoshì		sùshè		túshūguǎn
16.	A 教室	B 宿舍		C 图书馆

	Rìběn cài		Zhōngguó cài		Hánguó cài
17.	A 日本 菜	B 中国 菜		C 韩国 菜

	wàiguó péngyou		lǎoshī		Zhōngguó péngyou
18.	A 外国 朋友	B 老师		C 中国 朋友

	fāshāo		lǚxíng		shuìjiào
19.	A 发烧	B 旅行		C 睡觉

	hěn jiǎndān		hěn hǎo		yǒudiǎnr nán
20.	A 很 简单	B 很 好		C 有点儿 难

二、阅 读

第一部分

第 21–25 题

例如:		diànshì 电视	×
		fēijī 飞机	√
21.		zhǐ 纸	
22.		tiào 跳	
23.		yǔsǎn 雨伞	
24.		hē 喝	
25.		hǔ 虎	

第二部分

第 26-30 题

A

B

C

D

E

F

Wǒ hěn xǐhuan zhè běn shū.

例如：我 很 喜欢 这 本 书。 ☐ C

Nà běn cídiǎn hěn hòu.

26. 那 本 词典 很 厚。 ☐

Zhè shì yì zhāng lǎo zhàopiàn.

27. 这 是 一 张 老 照片。 ☐

Wǒ de àihào shì chànggē.

28. 我 的 爱好 是 唱歌。 ☐

Xuéxiào lǐbian yǒu tǐyùguǎn.

29. 学校 里边 有 体育馆。 ☐

Tā hěn shǎo chī mántou.

30. 他 很 少 吃 馒头。 ☐

第三部分

第 31–35 题

Nǐ hē shuǐ ma?
例如：你 喝 水 吗？   F   A   Hěn shǎo qù.
很 少 去。

Dōu shì wàiguó xuésheng ma?
31. 都 是 外国 学生 吗？   ☐   B   Bówùguǎn.
博物馆。

Nǐ dǎsuan shénme shíhou huí guó?
32. 你 打算 什么 时候 回 国？   ☐   C   Hái kěyǐ.
还 可以。

Zhège xīngqīliù nǐ qù nǎr?
33. 这个 星期六你去 哪儿？   ☐   D   Bù, hái yǒu Zhōngguó
不，还 有 中国
xuésheng.
学生。

Nǐ cháng qù gōngyuán ma?
34. 你 常 去 公园 吗？   ☐   E   Xià ge xīngqī.
下 个 星期。

Tā de chéngjì hǎo bu hǎo?
35. 他 的 成绩 好 不 好？   ☐   F   Hǎo de, xièxie!
好 的，谢谢！

第四部分

第36-40题

	piányi		fùjìn		kuài		zhī		míngzi		yìsi
A	便宜	B	附近	C	快	D	只	E	名字	F	意思

Nǐ jiào shénme
例如：你 叫 什么 （ E ）?

Tā chē kāi de tài   le!
36. 他 车 开 得 太 （   ） 了!

Ménkǒu yǒu yì   xiǎo gǒu.
37. 门口 有 一 （   ） 小 狗。

Zhège diànyǐng zhēn méi
38. 这个 电影 真 没 （   ）!

Zhèr   yǒu méiyǒu shāngdiàn?
39. 男：这儿 （   ） 有 没有 商店?

Méiyǒu.
女：没有。

Tài guì le, néng bu néng   yìdiǎnr?
40. 男：太 贵 了，能 不 能 （   ） 一点儿?

Xíng, liǎng kuài wǔ yì jīn.
女：行， 两 块 五 一 斤。

HSK（一级）模拟试卷 *1*

（音乐，30秒，渐弱）

Dàjiā hǎo! Huānyíng cānjiā yī jí kǎoshì.
大家 好！ 欢迎 参加 HSK（一级） 考试。

Dàjiā hǎo! Huānyíng cānjiā yī jí kǎoshì.
大家 好！ 欢迎 参加 HSK（一级） 考试。

Dàjiā hǎo! Huānyíng cānjiā yī jí kǎoshì.
大家 好！ 欢迎 参加 HSK（一级） 考试。

　　　　yī jí tīnglì kǎoshì fēn sì bùfen, gòng tí.
HSK（一级）听力 考试 分 四 部分， 共 20 题。

Qǐng dàjiā zhùyì, tīnglì kǎoshì xiànzài kāishǐ.
请 大家 注意， 听力 考试 现在 开始。

Dì-yī bùfen
第一 部分

Yígòng ge tí, měi tí tīng liǎng cì.
一共 5 个题，每题听 两次。

Lìrú： hěn gāoxìng
例如： 很 高兴

kàn diànyǐng
看 电影

Xiànzài kāishǐ dì tí：
现在 开始 第 1 题：

chī xīguā sān diǎn kàn bàozhǐ
1. 吃 西瓜 2. 三 点 3. 看 报纸

zuò chuán hěn lěng
4. 坐 船 5. 很 冷

Dì-èr bùfen
第二 部分

Yígòng　 ge tí, měi　tí tīng liǎng cì.
一共　5 个题，每 题听　 两 次。

Lìrú：　 Zhè shì wǒ de shū.
例如：　 这 是 我 的 书。

Xiànzài kāishǐ dì　 tí：
现在　 开始　第 6 题：

Tā de tóufa hěn cháng.
6. 她 的 头发 很　 长。

Zhèr　 yǒu yí liàng zìxíngchē.
7. 这儿 有 一 辆　 自行车。

Zhège xiāngzi hěn dà.
8. 这个　 箱子 很　 大。

Tāmen zài chànggē.
9. 他们 在　 唱歌。

Xiǎohóng, shēngrì kuàilè!
10. 小红，　 生日 快乐!

Dì-sān bùfen
第三 部分

Yígòng　 ge tí, měi tí tīng liǎng cì.
一共　5 个题，每 题听　 两 次。

Lìrú：　　 Nǐ hǎo!
例如：女：你 好!

Nǐ hǎo! Hěn gāoxìng rènshi nǐ.
男：你 好! 很　 高兴　 认识 你。

Xiànzài kāishǐ dì　　 tí：
现在　 开始　第 11 题：

Jīntiān xīngqī jǐ?
11. 男：今天　 星期 几?

Jīntiān xīngqīsān.
女：今天　 星期三。

12. 女： Nǐ wǎnshang cháng zuò shénme?
你　晚上　　常　做　什么？

男： Wǒ wǎnshang cháng kàn diànshì.
我　晚上　　常　看　电视。

13. 男： Nǐmen de lǎoshī shì shéi?
你们　的 老师　是　谁？

女： Wǒmen de lǎoshī shì Jīn lǎoshī.
我们　　的 老师　是　金 老师。

14. 男： Nǐ qù nǎr?
你 去　哪儿？

女： Wǒ qù chāojí shìchǎng.
我 去　超级　市场。

15. 男： Nǐ xǐhuan hē píjiǔ ma?
你 喜欢　喝　啤酒　吗？

女： Bù xǐhuan, píjiǔ tài kǔ le.
不 喜欢，啤酒 太　苦 了。

Dì-sì bùfen
第四 部分

Yígòng　ge　tí，měi tí tīng liǎng cì.
一共　5 个　题，每　题　听　两　次。

Lìrú： Xiàwǔ wǒ qù shāngdiàn, wǒ xiǎng mǎi yìxiē shuǐguǒ.
例如： 下午 我 去　商店，　我　想　买 一些 水果。

Tā xiàwǔ qù nǎlǐ?
问： 他 下午 去 哪里？

Xiànzài kāishǐ dì　tí：
现在　开始 第 16 题：

16. Wǒ qù yínháng huàn rénmínbì.
我 去　银行　换　人民币。

Tā qù gàn shénme?
问： 他 去 干　什么？

17. Tā jīntiān qǐchuáng wǎn le, shàngkè chídào le.
他 今天　起床　晚 了，上课 迟到 了。

Tā jīntiān zěnme le?
问： 他 今天　怎么 了？

18. Wǒ shì cóng Měiguó lái de, Zhì'ēn shì cóng Hánguó lái de.
我 是 从 美国 来 的, 智恩 是 从 韩国 来 的。

Zhì'ēn shì nǎ guó rén?
问: 智恩 是 哪 国 人?

19. Zhège xīngqīsān wǒmen yǒu kǎoshì.
这个 星期三 我们 有 考试。

Tāmen xīngqī jǐ yǒu kǎoshì?
问: 他们 星期 几 有 考试?

20. Huǒchēzhàn lí zhèr hěn yuǎn, wǒ zuò gōnggòng qìchē qù huǒchēzhàn.
火车站 离 这儿 很 远, 我 坐 公共 汽车 去 火车站。

Tā zěnme qù huǒchēzhàn?
问: 他 怎么 去 火车站?

Tīnglì kǎoshì xiànzài jiéshù.
听力 考试 现在 结束。

HSK（一级）模拟试卷 2

（音乐，30秒，渐弱）

Dàjiā hǎo! Huānyíng cānjiā yī jí kǎoshì.
大家 好! 欢迎 参加 HSK（一级）考试。

Dàjiā hǎo! Huānyíng cānjiā yī jí kǎoshì.
大家 好! 欢迎 参加 HSK（一级）考试。

Dàjiā hǎo! Huānyíng cānjiā yī jí kǎoshì.
大家 好! 欢迎 参加 HSK（一级）考试。

yī jí tīnglì kǎoshì fēn sì bùfen, gòng tí.
HSK（一级）听力 考试 分 四 部分, 共 20 题。

Qǐng dàjiā zhùyì, tīnglì kǎoshì xiànzài kāishǐ.
请 大家 注意, 听力 考试 现在 开始。

Dì-yī bùfen
第一 部分

Yígòng ge tí, měi tí tīng liǎng cì.
一共 5 个题, 每 题 听 两 次。

Lìrú:　　hěn gāoxìng
例如：　很　高兴

kàn diànyǐng
看　电影

Xiànzài kāishǐ dì 　　tí：
现在　开始　第　1　题：

xià yǔ
1. 下 雨

qù Rìběn
2. 去 日本

xīngqīliù
3. 星期六

chī táng
4. 吃 糖

zàijiàn
5. 再见

Dì-èr bùfen
第二 部分

Yígòng　　ge tí, měi tí tīng liǎng cì.
一共　5　个 题，每 题 听　两 次。

Lìrú:　　Zhè shì wǒ de shū.
例如：　这 是 我 的 书。

Xiànzài kāishǐ dì 　　tí：
现在　开始　第 6 题：

Zhè shì wǒ bàba.
6. 这 是 我 爸爸。

Hú shang yǒu yí zuò qiáo.
7. 湖 上　有 一 座 桥。

Zhè duǒ huār　zhēn piàoliang.
8. 这 朵 花儿 真　漂亮。

Wǒ dǎsuan míngtiān qù mǎi jīpiào.
9. 我 打算　明天　去 买 机票。

Tā zhèngzài shuìjiào.
10. 他　正在　睡觉。

Yígòng   ge tí, měi tí tīng liǎng cì.
一共 5 个 题, 每 题 听   两 次。

Lìrú: Nǐ hǎo!
例如: 女: 你 好!

           Nǐ hǎo!   Hěn gāoxìng rènshi nǐ.
       男: 你 好!   很   高兴   认识 你。

Xiànzài kāishǐ dì   tí:
现在   开始   第 11 题:

           Xiànzài jǐ diǎn le?
11. 男: 现在 几 点 了?

           Xiànzài kuài bā diǎn le.
       女: 现在   快   八 点   了。

           Wǒ xiǎng qǐng nǐ kàn diànyǐng.
12. 男: 我   想   请 你 看   电影。

           Tài hǎo le,   wǒ xiǎng kàn《Shénhuà》.
       女: 太 好 了,   我   想   看 《神话》。

           Nǐ yǐhòu xiǎng zuò shénme?
13. 男: 你 以后 想   做 什么?

           Wǒ yǐhòu xiǎng dāng yīshēng.
       女: 我 以后 想   当   医生。

           Nǐ de diànhuà hàomǎ   shì duōshao?
14. 男: 你 的 电话   号码   是 多少?

           Wǒ de diànhuà hàomǎ shì
       女: 我 的 电话   号码 是 86593066。

           Nǐ yě ài kàn jīngjù ma?
15. 男: 你 也 爱 看 京剧 吗?

           Shì de, wǒ yě ài kàn jīngjù.
       女: 是 的, 我 也 爱 看 京剧。

Yígòng   ge tí, měi tí tīng liǎng cì.
一共 5 个 题, 每 题 听   两 次。

Lìrú: Xiàwǔ wǒ qù shāngdiàn, wǒ xiǎng mǎi yìxiē shuǐguǒ.
例如： 下午 我 去 商店， 我 想 买 一些 水果。

　　　 Tā xiàwǔ qù nǎlǐ?
问： 他 下午 去 哪里?

Xiànzài kāishǐ dì 　 tí:
现在 开始 第 16 题：

　　Chāojí shìchǎng de píngguǒ yuán yì jīn, zhēn guì a!
16. 超级市场 的 苹果 4元 一斤， 真 贵啊！

　　　 Chāojí shìchǎng de píngguǒ zěnmeyàng?
问： 超级市场 的 苹果 怎么样?

　　Wǒ cóng 　diǎn kāishǐ fāshāo, yǐjīng shāole ge xiǎoshí le.
17. 我 从 8点 开始 发烧， 已经 烧了5个 小时 了。

　　　 Tā yǐjīng fāshāo jǐ ge xiǎoshí le?
问： 他 已经 发烧 几个 小时 了?

　　Wǒ yǒu liǎng liàng chē, yí liàng shì xīn de, yí liàng shì jiù de.
18. 我 有 两 辆 车， 一辆 是 新 的， 一辆 是 旧的。

　　　　 Tā yǒu jǐ liàng chē?
问： 他 有 几 辆 车?

　　Yòubian de lóu shì túshūguǎn.
19. 右边 的 楼 是 图书馆。

　　　 Túshūguǎn zài nǎr?
问： 图书馆 在 哪儿?

　　Wǒmen míngtiān zài xuéxiào jiànmiàn.
20. 我们 明天 在 学校 见面。

　　　 Tāmen míngtiān zài nǎr jiànmiàn?
问： 他们 明天 在 哪儿 见面?

Tīnglì kǎoshì xiànzài jiéshù.
听力 考试 现在 结束。

HSK（一级）模拟试卷 3

（音乐，30 秒，渐弱）

Dàjiā hǎo! Huānyíng cānjiā 　　 yī jí 　 kǎoshì.
大家 好！ 欢迎 参加 HSK（一级） 考试。

Dàjiā hǎo! Huānyíng cānjiā   yī jí   kǎoshì.
大家 好!   欢迎   参加 HSK（一级）考试。

Dàjiā hǎo! Huānyíng cānjiā   yī jí   kǎoshì.
大家 好!   欢迎   参加 HSK（一级）考试。

         yī jí   tīnglì kǎoshì fēn sì bùfen, gòng   tí.
HSK（一级）听力 考试 分 四 部分， 共 20 题。

Qǐng dàjiā zhùyì,   tīnglì kǎoshì xiànzài kāishǐ.
请 大家 注意，听力 考试 现在 开始。

Dì-yī bùfen
第一 部分

Yígòng   ge tí, měi tí tīng liǎng cì.
一共 5 个题，每 题 听 两 次。

Lìrú: hěn gāoxìng
例如： 很 高兴

          kàn diànyǐng
          看 电影

Xiànzài kāishǐ dì   tí:
现在 开始 第 1 题：

          kàn yīshēng   yì bǎ yǔsǎn   mǎi shǒubiǎo
1. 看 医生   2. 一 把 雨伞   3. 买 手表

          xiě xìn   qiūtiān
4. 写 信   5. 秋天

Dì-èr bùfen
第二 部分

Yígòng   ge tí, měi tí tīng liǎng cì.
一共 5 个题，每 题 听 两 次。

Lìrú: Zhè shì wǒ de shū.
例如： 这 是 我 的 书。

Xiànzài kāishǐ dì   tí:
现在 开始 第 6 题：

Zhuōzi shang yǒu bā zhī bǐ.
6. 桌子 上 有 八支笔。

Wǒ bàba shì lǎoshī, zài xuéxiào gōngzuò.
7. 我 爸爸是 老师, 在 学校 工作。

Wǒ xǐhuan xiǎomāor.
8. 我 喜欢 小猫儿。

Wáng xiǎojiě zuò zài yǐzi shang.
9. 王 小姐 坐 在 椅子 上。

Wǒ zài chī shuǐguǒ.
10. 我 在 吃 水果。

Dì-sān bùfen
第三 部分

Yígòng ge tí, měi tí tīng liǎng cì.
一共 5 个题, 每 题听 两次。

Lìrú: Nǐ hǎo!
例如：女：你 好！

Nǐ hǎo! Hěn gāoxìng rènshi nǐ.
男：你 好！ 很 高兴 认识 你。

Xiànzài kāishǐ dì tí:
现在 开始 第 11 题：

Wǒ qù mǎi yīfu, nǐ qù bu qù?
11. 女： 我 去买 衣服, 你去不去?

Bú qù, wǒ huí jiā.
男： 不去, 我 回 家。

Nǐ xǐhuan zuò shénme?
12. 女： 你 喜欢 做 什么?

Wǒ xǐhuan dǎ pīngpāngqiú.
男： 我 喜欢 打 乒乓球。

Nǐ zài nǎr xuéxí Hànyǔ?
13. 男： 你 在 哪儿学习 汉语?

Zài Běijīng Dàxué.
女： 在 北京 大学。

Nǐ hē kāfēi háishi hē chá?
14. 男： 你喝咖啡 还是 喝茶？

Wǒ hē kāfēi.
女： 我 喝咖啡。

Nǐ yào mǎi shénme?
15. 男： 你要 买 什么？

Wǒ xiǎng mǎi yì běn shū.
女： 我 想 买一本 书。

Dì-sì bùfen
第四 部分

Yígòng ge tí, měi tí tīng liǎng cì.
一共 5 个 题， 每 题 听 两 次。

Lìrú: Xiàwǔ wǒ qù shāngdiàn, wǒ xiǎng mǎi yìxiē shuǐguǒ.
例如： 下午 我 去 商店， 我 想 买 一些 水果。

Tā xiàwǔ qù nǎlǐ?
问： 他 下午 去 哪里？

Xiànzài kāishǐ dì tí:
现在 开始 第 16 题：

Wǒ huì chànggē, bú huì tiàowǔ.
16. 我 会 唱歌， 不会 跳舞。

Tā huì shénme?
问： 他会 什么？

Tā xǐhuan xué Yīngyǔ, bù xǐhuan xué Shùxué.
17. 他 喜欢 学 英语，不 喜欢 学 数学。

Tā xǐhuan xué shénme?
问： 他 喜欢 学 什么？

Wáng lǎoshī jiāo wǒ huà Zhōngguóhuàr.
18. 王 老师 教 我 画 中国画儿。

Wáng lǎoshī jiāo tā shénme?
问： 王 老师 教 他 什么？

Wǒ shàngwǔ yǒu sì jié kè, xiàwǔ yǒu sān jié kè.
19. 我 上午 有 四节课，下午 有 三 节课。

Tā shàngwǔ yǒu jǐ jié kè?
问： 他 上午 有 几节课？

Tā míngtiān sì diǎn cóng jiā chūfā.
20. 他 明天 四点 从 家出发。

Tā míngtiān cóng nǎr chūfā?
问： 他 明天 从 哪儿出发？

Tīnglì kǎoshì xiànzài jiéshù.
听力 考试 现在 结束。

HSK （一级）模拟试卷 4

（音乐，30 秒，渐弱）

Dàjiā hǎo! Huānyíng cānjiā yī jí kǎoshì.
大家 好! 欢迎 参加 HSK （一级）考试。

Dàjiā hǎo! Huānyíng cānjiā yī jí kǎoshì.
大家 好! 欢迎 参加 HSK （一级）考试。

Dàjiā hǎo! Huānyíng cānjiā yī jí kǎoshì.
大家 好! 欢迎 参加 HSK （一级）考试。

yī jí tīnglì kǎoshì fēn sì bùfen, gòng tí.
HSK （一级）听力 考试 分 四 部分， 共 20 题。

Qǐng dàjiā zhùyì, tīnglì kǎoshì xiànzài kāishǐ.
请 大家 注意 , 听力 考试 现在 开始。

Dì-yī bùfen
第一 部分

Yígòng ge tí, měi tí tīng liǎng cì.
一共 5 个 题，每 题 听 两 次。

Lìrú： hěn gāoxìng
例如： 很 高兴

kàn diànyǐng
看 电影

Xiànzài kāishǐ dì   tí:
现在 开始 第 1 题：

xué Hànyǔ   chī yú   zuò huǒchē
1. 学 汉语   2. 吃 鱼   3. 坐 火车

xièxie   qù yóujú
4. 谢谢   5. 去 邮局

Dì-èr bùfen
第二 部分

Yígòng   ge tí, měi tí tīng liǎng cì.
一共 5 个题，每 题 听 两次。

Lìrú: Zhè shì wǒ de shū.
例如： 这 是 我 的 书。

Xiànzài kāishǐ dì   tí:
现在 开始 第 6 题：

Tāmen zài mǎi yīfu.
6. 她们 在 买 衣服。

Wǒ de diànnǎo hěn xīn.
7. 我 的 电脑 很 新。

Tā bù xiǎng chī yào.
8. 他 不 想 吃 药。

Xiǎo gǒu hěn kě'ài.
9. 小 狗 很 可爱。

Qǐng dú kèwén.
10. 请 读 课文。

Dì-sān bùfen
第三 部分

Yígòng   ge tí, měi tí tīng liǎng cì.
一共 5 个题，每 题 听 两次。

Lìrú: Nǐ hǎo!
例如：女：你 好！

Nǐ hǎo! Hěn gāoxìng rènshi nǐ.
男：你 好！ 很 高兴 认识 你。

Xiànzài kāishǐ dì   tí:
现在 开始 第 11 题：

Nǐ chī shénme?
11. 男：你 吃 什么？

Wǒ chī mántou.
女： 我 吃 馒头。

Nà shì shéi de shū?
12. 男：那 是 谁 的 书？

Nà shì Xiǎoliàng de shū.
女： 那 是 小亮 的 书。

Nǐ zài zuò shénme ne?
13. 男：你 在 做 什么 呢？

Wǒ zhèngzài gěi bàba dǎ diànhuà.
女： 我 正在 给 爸爸 打 电话。

Píngguǒ duōshao qián yì jīn?
14. 男：苹果 多少 钱 一斤？

Sān yuán yì jīn.
女： 三 元 一斤。

Jīntiān jǐ hào?
15. 男：今天 几号？

Jīntiān jiǔ hào.
女： 今天 九 号。

Dì-sì bùfen
第四 部分

Yígòng   ge tí, měi tí tīng liǎng cì.
一共 5 个 题， 每题 听 两 次。

Lìrú: Xiàwǔ wǒ qù shāngdiàn, wǒ xiǎng mǎi yìxiē shuǐguǒ.
例如：下午 我 去 商店， 我 想 买 一些 水果。

Tā xiàwǔ qù nǎlǐ?
问：他 下午 去 哪里？

Xiànzài kāishǐ dì   tí:
现在 开始 第 16 题：

Wǒ jiào Jiékè, wǒ shì Měiguó rén.
16. 我 叫 杰克，我 是 美国 人。

Tā shì nǎ guó rén?
问：他是 哪 国 人？

Zhuōzi shang yǒu liǎng jiàn yīfu, hái yǒu yì běn cídiǎn.
17. 桌子 上 有 两 件 衣服，还 有 一 本 词典。

Zhuōzi shang yǒu jǐ jiàn yīfu?
问： 桌子 上 有 几件 衣服？

Wǒ juéde Hànzì hěn nán, yǔfǎ bú tài nán.
18. 我 觉得 汉字 很 难，语法 不 太 难。

Tā juéde shénme hěn nán?
问：他 觉得 什么 很 难？

Píngguǒ shì hóngsè de, xiāngjiāo shì huángsè de.
19. 苹果 是 红色 的，香蕉 是 黄色 的。

Xiāngjiāo shì shénme yánsè de?
问： 香蕉 是 什么 颜色 的？

Tā méiyǒu gēge hé dìdi, yě méiyǒu mèimei, zhǐ yǒu liǎng ge jiějie.
20. 他 没有 哥哥 和 弟弟，也 没有 妹妹，只 有 两 个 姐姐。

Tā yǒu shénme?
问：他 有 什么？

Tīnglì kǎoshì xiànzài jiéshù.
听力 考试 现在 结束。

HSK（一级）模拟试卷 5

（音乐，30 秒，渐弱）

Dàjiā hǎo! Huānyíng cānjiā   yī jí   kǎoshì.
大家 好! 欢迎 参加 HSK（一级）考试。

Dàjiā hǎo! Huānyíng cānjiā   yī jí   kǎoshì.
大家 好! 欢迎 参加 HSK（一级）考试。

Dàjiā hǎo! Huānyíng cānjiā   yī jí   kǎoshì.
大家 好! 欢迎 参加 HSK（一级）考试。

Qǐng dàjiā zhùyì,   tīnglì kǎoshì xiànzài kāishǐ.
请 大家 注意， 听力 考试 现在 开始。

Dì-yī bùfen
第一 部分

Yígòng   ge tí, měi tí tīng liǎng cì.
一共 5 个题，每题 听 两 次。

Lìrú: hěn gāoxìng
例如： 很 高兴

        kàn diànyǐng
        看 电影

Xiànzài kāishǐ dì   tí:
现在 开始 第 1 题：

hē chá	dǎkāi chuānghu	yǒudiǎnr kùn
1. 喝 茶	2. 打开 窗户	3. 有点儿 困
qù gōngyuán	guò shēngrì	
4. 去 公园	5. 过 生日	

Dì-èr bùfen
第二 部分

Yígòng   ge tí, měi tí tīng liǎng cì.
一共 5 个题，每题 听 两 次。

Lìrú: Zhè shì wǒ de shū.
例如： 这 是 我 的 书。

Xiànzài kāishǐ dì   tí:
现在 开始 第 6 题：

Dòngwùyuán lǐ yǒu yì zhī lǎohǔ.
6. 动物园 里 有 一 只 老虎。

Xiǎo dìdi ài chī jīdàn.
7. 小 弟弟 爱 吃 鸡蛋。

Zhè jiàn yīfu hěn xiǎo.
8. 这 件 衣服 很 小。

Tā xiǎng xué bāo jiǎozi.

9. 他 想 学 包 饺子。

Wǒ yǒu yìbǎi duō zhāng guāngpán.

10. 我 有 一百 多 张 光盘。

Dì-sān bùfen
第三 部分

Yígòng　ge tí, měi tí tīng liǎng cì.
一共 5 个题，每题听 两次。

Lìrú：　　Nǐ hǎo!
例如：女：你 好!

Nǐ hǎo! Hěn gāoxìng rènshi nǐ.
男：你 好! 很 高兴 认识 你。

Xiànzài kāishǐ dì　 tí：
现在 开始 第 11 题：

Xiǎohóng, nǐ xǐhuan zuò shénme?
11. 男：小红， 你喜欢 做 什么?

Wǒ xǐhuan huà huàr.
女：我 喜欢 画 画儿。

Qǐngwèn, qù Zhōngguó Yínháng zěnme zǒu?
12. 男：请问， 去 中国 银行 怎么 走?

Yìzhí wǎng qián zǒu.
女：一直 往 前 走。

Zhè běn shū shì shéi de?
13. 男：这 本 书 是 谁 的?

Shì Wáng lǎoshī de.
女：是 王 老师 的。

Zhōngwǔ nǐ qù nǎr chīfàn?
14. 男：中午 你去 哪儿 吃饭?

Wǒ qù xuésheng shítáng.
女：我 去 学生 食堂。

Wǒ qǐng nǐ hē kāfēi, zěnmeyàng?
15. 男：我 请 你 喝 咖啡， 怎么样?

Tài hǎo le, xièxie.
女：太 好 了，谢谢。

Yígòng　　ge　tí，　měi tí tīng liǎng cì.
一共 5 个 题， 每题 听 两次。

Lìrú：　Xiàwǔ wǒ qù shāngdiàn, wǒ xiǎng mǎi yìxiē shuǐguǒ.
例如： 下午 我 去 商店， 我 想 买 一些 水果。

　　　　Tā xiàwǔ qù nǎlǐ?
　　　问： 他 下午 去 哪里?

Xiànzài kāishǐ dì　　tí:
现在 开始 第 16 题:

　　Wǒ yǐqián shì xuésheng, xiànzài shì lǎoshī.
16. 我 以前 是 学生， 现在 是 老师。

　　　　Tā yǐqián shì zuò shénme de?
　　问： 他 以前 是 做 什么 的?

　　Wǒ jīnnián èrshí suì, Màikè sānshí suì.
17. 我 今年 二十 岁， 麦克 三十 岁。

　　　　Màikè duō dà le?
　　问： 麦克 多 大 了?

　　Jīntiān shì yīyuè shíjiǔ hào, xīngqīwǔ.
18. 今天 是 一月 十九 号， 星期五。

　　　　Jīntiān xīngqī jǐ?
　　问： 今天 星期 几?

　　Míngtiān wǒ hé Lǐ xiǎojiě yìqǐ qù Xiānggǎng.
19. 明天 我 和 李 小姐 一起 去 香港。

　　　　Tā hé shéi yìqǐ qù Xiānggǎng?
　　问： 他 和 谁 一起 去 香港?

　　Wǒ yǒu sì zhī bǐ.
20. 我 有 四 支 笔。

　　　　Tā yǒu jǐ zhī bǐ?
　　问： 他 有 几 支 笔?

Tīnglì kǎoshì xiànzài jiéshù.
听力 考试 现在 结束。

HSK（一级）模拟试卷 6

（音乐，30秒，渐弱）

Dàjiā hǎo! Huānyíng cānjiā yī jí kǎoshì.
大家 好！ 欢迎 参加 HSK（一级）考试。

Dàjiā hǎo! Huānyíng cānjiā yī jí kǎoshì.
大家 好！ 欢迎 参加 HSK（一级）考试。

Dàjiā hǎo! Huānyíng cānjiā yī jí kǎoshì.
大家 好！ 欢迎 参加 HSK（一级）考试。

yī jí tīnglì kǎoshì fēn sì bùfen, gòng tí.
HSK（一级）听力 考试 分 四 部分， 共 20 题。

Qǐng dàjiā zhùyì, tīnglì kǎoshì xiànzài kāishǐ.
请 大家 注意， 听力 考试 现在 开始。

Dì-yī bùfen
第一 部分

Yígòng ge tí, měi tí tīng liǎng cì.
一共 5 个题，每 题 听 两次。

Lìrú： hěn gāoxìng
例如： 很 高兴

kàn diànyǐng
看 电影

Xiànzài kāishǐ dì tí：
现在 开始 第 1 题：

bēi shūbāo
1. 背 书包

xiàyǔ le
2. 下雨了

xīngqīrì
3. 星期日

tí xiāngzi
4. 提 箱子

kàn bàozhǐ
5. 看 报纸

Dì-èr bùfen
第二 部分

Yígòng ge tí, měi tí tīng liǎng cì.
一共 5 个题，每 题 听 两次。

Lìrú:　　Zhè shì wǒ de shū.
例如：　这 是 我 的 书。

Xiànzài kāishǐ dì　　tí:
现在　开始 第 6 题：

　　　　Zhèxiē shì shuǐguǒ.
6.　这些　是　水果。

　　　　Nǐ hǎo! Wǒ xiǎng huàn rénmínbì.
7.　你 好! 我　想　换　人民币。

　　　　Wǒ huì qí　zìxíngchē.
8.　我 会 骑　自行车。

　　　　Wǒ dǎsuan qǐng Zhào lǎoshī jiāo wǒ jīngjù.
9.　我 打算　请　赵　老师　教 我 京剧。

　　　　Míngtiān wǒmen　qù yóuyǒng.
10.　明天　　我们　去　游泳。

Dì-sān bùfen
第三 部分

Yígòng　ge tí, měi tí tīng liǎng cì.
一共 5 个题，每 题 听　两 次。

Lìrú:　　　　Nǐ hǎo!
例如：女：你 好!

　　　　　　Nǐ hǎo! Hěn gāoxìng rènshi nǐ.
　　　男：你 好!　很　高兴　认识 你。

Xiànzài kāishǐ dì　　　tí:
现在　开始 第 11 题：

　　　　Chéngzi zěnme mài?
11.　男：橙子　怎么　卖?

　　　　Sì yuán yì　jīn.
　　　女：四 元 一 斤。

　　　　Nǐ qù yóujú jì xìn ma?
12.　女：你 去 邮局 寄信 吗?

　　　　Bù, wǒ qù yínháng qǔ qián.
　　　男：不, 我 去 银行　取 钱。

13. Nǐ xǐhuan hē shénme?
   男： 你 喜欢 喝 什么?

   Wǒ xǐhuan hē chá.
   女： 我 喜欢 喝 茶。

14. Tāmen shì shéi?
   男： 他们 是 谁?

   Tāmen shì wǒ de péngyou.
   女： 他们 是 我 的 朋友。

15. Nǐ měi tiān jǐ diǎn shàngkè?
   男： 你 每天 几点 上课?

   Wǒ měi tiān bā diǎn shàngkè.
   女： 我 每 天 八 点 上课。

Dì-sì bùfen
第四 部分

Yígòng   ge tí, měi tí tīng liǎng cì.
一共 5 个 题, 每题 听 两 次。

Lìrú: Xiàwǔ wǒ qù shāngdiàn, wǒ xiǎng mǎi yìxiē shuǐguǒ.
例如： 下午 我 去 商店, 我 想 买 一些 水果。

       Tā xiàwǔ qù nǎlǐ?
问： 他 下午 去 哪里?

Xiànzài kāishǐ dì   tí:
现在 开始 第 16 题:

   Wǒ cháng gěi hǎo péngyou dǎ diànhuà, bù cháng xiě xìn.
16. 我 常 给 好 朋友 打 电话, 不 常 写信。

   Tā cháng zuò shénme?
   问： 他 常 做 什么?

   Wǒ de péngyou shì xuésheng, zài Běijīng Dàxué dúshū.
17. 我 的 朋友 是 学生, 在 北京 大学 读书。

   Tā de péngyou zài nǎr dúshū?
   问： 他 的 朋友 在 哪儿 读书?

   Wǒ jīntiān mǎile yí jiàn yīfu, kěshì yǒudiǎnr duǎn.
18. 我 今天 买了 一件 衣服, 可是 有点儿 短。

Tā de yīfu zěnmeyàng?
问：他 的 衣服 怎么样？

19. Wǒ de àihào shì zuò cài, wǒ huì zuò Zhōngguó cài.
我 的 爱好 是 做 菜，我 会 做 中国 菜。

问：Tā huì zuò nǎ guó cài?
他 会 做 哪国 菜？

20. Wǒ duì chànggē gǎn xìngqù.
我 对 唱歌 感 兴趣。

问：Tā duì shénme gǎn xìngqù?
他 对 什么 感 兴趣？

Tīnglì kǎoshì xiànzài jiéshù.
听力 考试 现在 结束。

HSK（一级）模拟试卷 7

（音乐，30 秒，渐弱）

Dàjiā hǎo! Huānyíng cānjiā yī jí kǎoshì.
大家 好！ 欢迎 参加 HSK（一级）考试。

Dàjiā hǎo! Huānyíng cānjiā yī jí kǎoshì.
大家 好！ 欢迎 参加 HSK（一级）考试。

Dàjiā hǎo! Huānyíng cānjiā yī jí kǎoshì.
大家 好！ 欢迎 参加 HSK（一级）考试。

yī jí tīnglì kǎoshì fēn sì bùfen, gòng tí.
HSK（一级）听力 考试 分 四 部分， 共 20 题。

Qǐng dàjiā zhùyì, tīnglì kǎoshì xiànzài kāishǐ.
请 大家 注意，听力 考试 现在 开始。

Dì-yī bùfen
第一 部分

Yígòng ge tí, měi tí tīng liǎng cì.
一共 5 个 题，每题 听 两 次。

Lìrú: hěn gāoxìng
例如: 很 高兴

kàn diànyǐng
看 电影

Xiànzài kāishǐ dì tí:
现在 开始 第 1 题:

dǎchē
1. 打车

xīn chènshān
2. 新 衬衫

guà guóqí
3. 挂 国旗

bào xiǎoháir
4. 抱 小孩儿

dà shēng shuō
5. 大 声 说

Dì-èr bùfen
第二 部分

Yígòng ge tí, měi tí tīng liǎng cì.
一共 5 个题, 每 题听 两 次。

Lìrú: Zhè shì wǒ de shū.
例如: 这 是 我 的 书。

Xiànzài kāishǐ dì tí:
现在 开始 第 6 题:

Tāmen shì péngyou.
6. 她们 是 朋友。

Wǒ xǐhuan chī júzi.
7. 我 喜欢 吃 橘子。

Tā de jiǎo hěn téng.
8. 她 的 脚 很 疼。

Tāmen zhèngzài tiàowǔ ne.
9. 他们 正在 跳舞 呢。

Wǒ yào qù yóujú mǎi yóupiào.
10. 我 要 去 邮局买 邮票。

Dì-sān bùfen
第三 部分

Yígòng ge tí, měi tí tīng liǎng cì.
一共 5 个题, 每 题听 两 次。

Lìrú: Nǐ hǎo!
例如：女：你 好！

           Nǐ hǎo!   Hěn gāoxìng rènshi nǐ.
男：你 好！ 很 高兴 认识 你。

Xiànzài kāishǐ dì   tí：
现在 开始 第 11 题：

          Jīntiān tiānqì zěnmeyàng?
11. 男： 今天 天气 怎么样？

        Jīntiān tiānqì hǎojí le.
女： 今天 天气 好极 了。

        Zhǎnlǎnguǎn zěnme zǒu?
12. 女： 展览馆 怎么 走？

        Cóng zhèr yìzhí wǎng dōng zǒu.
男： 从 这儿 一直 往 东 走。

        Wǒ yá téng.
13. 男： 我 牙 疼。

        Wǒ lái gěi nǐ jiǎnchá yí xià.
女： 我 来 给 你 检查 一 下。

        Zhè zhāng zhuōzi duōshao qián?
14. 男： 这 张 桌子 多少 钱？

        Sìbǎi yuán.
女： 四百 元。

        Bāng wǒ mǎi yìxiē huār, hǎo ma?
15. 男： 帮 我 买 一些 花儿，好 吗？

        Hǎo de.
女： 好 的。

Dì-sì bùfen
第四 部分

Yígòng   ge tí， měi tí tīng liǎng cì.
一共 5 个 题， 每题 听 两 次。

Lìrú： Xiàwǔ wǒ qù shāngdiàn, wǒ xiǎng mǎi yìxiē shuǐguǒ.
例如：下午 我 去 商店， 我 想 买 一些 水果。

        Tā xiàwǔ qù nǎlǐ?
问：他 下午 去 哪里？

Zhè jiàn yīfu bú dà bù xiǎo, zhèng héshì.
16. 这 件 衣服 不大 不 小, 正 合适。

Zhè jiàn yīfu zěnmeyàng?
问: 这 件 衣服 怎么样?

Tā huì shuō Yīngyǔ、Hànyǔ, bú huì shuō Fǎyǔ.
17. 她会 说 英语、汉语, 不 会 说 法语。

Tā bú huì shuō shénme yǔ?
问: 她不会 说 什么 语?

Màikè cháng yòng diànnǎo gēn jiārén liánxì.
18. 麦克 常 用 电脑 跟 家人 联系。

Màikè zěnme gēn jiārén liánxì?
问: 麦克 怎么 跟 家人 联系?

Wǒ yǒu yí ge dìdi, jīnnián sān suì le.
19. 我 有 一个弟弟, 今年 三 岁了。

Dìdi jǐ suì le?
问: 弟弟 几岁 了?

Wǒ hé Lìli qí chē qù gōngyuán.
20. 我 和 丽丽骑车 去 公园。

Tāmen qí chē qù nǎr?
问: 他们 骑车 去 哪儿?

Tīnglì kǎoshì xiànzài jiéshù.
听力 考试 现在 结束。

HSK（一级）模拟试卷 8

（音乐，30 秒，渐弱）

Dàjiā hǎo! Huānyíng cānjiā   yī jí   kǎoshì.
大家 好! 欢迎 参加 HSK（一级）考试。

Dàjiā hǎo! Huānyíng cānjiā   yī jí   kǎoshì.
大家 好! 欢迎 参加 HSK（一级）考试。

Dàjiā hǎo! Huānyíng cānjiā   yī jí   kǎoshì.
大家 好! 欢迎 参加 HSK（一级）考试。

yī jí   tīnglì kǎoshì fēn sì bùfen, gòng   tí.
HSK（一级）听力 考试 分 四 部分， 共 20 题。

Qǐng dàjiā zhùyì,   tīnglì kǎoshì xiànzài kāishǐ.
请 大家 注意， 听力 考试 现在 开始。

Dì-yī bùfen
第一 部分

Yígòng   ge tí, měi tí tīng liǎng cì.
一共 5 个 题， 每 题 听 两 次。

Lìrú: hěn gāoxìng
例如： 很 高兴

         kàn diànyǐng
         看 电影

Xiànzài kāishǐ dì   tí:
现在 开始 第 1 题：

     guā fēng   mǎi yīfu   shí hào
1. 刮 风   2. 买 衣服   3. 十 号

     tīng yīnyuè   gānjìng de fángjiān
4. 听 音乐   5. 干净 的 房间

Dì-èr bùfen
第二 部分

Yígòng   ge tí, měi tí tīng liǎng cì.
一共 5 个 题， 每 题 听 两 次。

Lìrú: Zhè shì wǒ de shū.
例如： 这 是 我 的 书。

Xiànzài kāishǐ dì   tí:
现在 开始 第 6 题：

     Pútao wǔ yuán qián yì jīn, tài guì le.
6. 葡萄 五 元 钱 一 斤，太 贵 了。

     Xiàwǔ wǒ qù túshūguǎn.
7. 下午 我 去 图书馆。

     Lìli   zài qī lóu zhù.
8. 丽丽 在 七 楼 住。

Tā de shǒubiǎo huài le.
9. 他 的 手表 坏 了。

Zhè zuò lóu hěn gāo.
10. 这 座 楼 很 高。

Dì-sān bùfen
第三 部分

Yígòng　ge tí, měi tí tīng liǎng cì.
一共 5 个题，每题 听 两次。

Lìrú:　　　Nǐ hǎo!
例如：女：你 好！

Nǐ hǎo! Hěn gāoxìng rènshi nǐ.
男：你 好！ 很 高兴 认识 你。

Xiànzài kāishǐ dì　　tí:
现在 开始 第 11 题：

Wèi, Xiǎohóng, zánmen shénme shíhou jiànmiàn?
11. 男：喂，小红， 咱们 什么 时候 见面？

Xiàwǔ liǎng diǎn bàn ba.
女：下午 两 点 半 吧。

Běijīng Dàxué zěnme zǒu?
12. 女：北京 大学 怎么 走？

Wǎng qián zǒu, dào hónglùdēng nàr wǎng yòu guǎi.
男：往 前 走， 到 红绿灯 那儿 往 右 拐。

Nǐ shōudào shēngrì lǐwù méiyǒu?
13. 男：你 收到 生日 礼物 没有？

Shōudào le, xièxie nǐ.
女：收 到 了，谢谢 你。

Xīngqītiān nǐ zuò shénme?
14. 男：星期天 你 做 什么？

Wǒ qù huǒchēzhàn mǎi chēpiào.
女：我 去 火车站 买 车票。

Nǐmen bān yǒu duōshao ge xuésheng?
15. 男：你们 班 有 多少 个 学生？

Wǒmen bān yǒu shí lái ge xuésheng.
女：我们 班 有 十 来个 学生。

Yígòng ge tí, měi tí tīng liǎng cì.
一共 5 个 题， 每题 听 两次。

Lìrú: Xiàwǔ wǒ qù shāngdiàn, wǒ xiǎng mǎi yìxiē shuǐguǒ.
例如： 下午 我 去 商店， 我 想 买 一些 水果。

　　　　Tā xiàwǔ qù nǎlǐ?
　　问： 他 下午 去 哪里？

Xiànzài kāishǐ dì tí:
现在 开始 第 16 题：

　　　　Wǒ péngyou zài dàxué dúshū, jīnnián yī niánjí.
16. 我 朋友 在 大学 读书， 今年 一 年级。

　　　　　Tā de péngyou jǐ niánjí?
　　问： 他 的 朋友 几 年级？

　　　　Zhè jiàn yīfu sānbǎi yuán, hěn piányi.
17. 这 件 衣服 三 百 元， 很 便宜。

　　　　　Zhè jiàn yīfu duōshao qián?
　　问： 这 件 衣服 多少 钱？

　　　　Wǒ měi tiān wǎnshang jiǔ diǎn xǐzǎo, shí diǎn shuìjiào.
18. 我 每天 晚上 九点 洗澡，十点 睡觉。

　　　　　Tā měi tiān wǎnshang jiǔ diǎn zuò shénme?
　　问： 他 每天 晚上 九点 做 什么？

　　　　Wǒ duì tàijíquán hěn gǎn xìngqù.
19. 我 对 太极拳 很 感 兴趣。

　　　　　Tā duì shénme gǎn xìngqù?
　　问： 他 对 什么 感 兴趣？

　　　　Zuótiān xiàxuě le, tiānqì hěn lěng.
20. 昨天 下雪了，天气 很 冷。

　　　　　Zuótiān tiānqì zěnmeyàng?
　　问： 昨天 天气 怎么样？

Tīnglì kǎoshì xiànzài jiéshù.
听力 考试 现在 结束。

HSK（一级）模拟试卷 9

（音乐，30秒，渐弱）

Dàjiā hǎo!　Huānyíng　cānjiā　　　　yī jí　kǎoshì.
大家　好！　欢迎　参加 HSK（一级）考试。

Dàjiā hǎo!　Huānyíng　cānjiā　　　　yī jí　kǎoshì.
大家　好！　欢迎　参加 HSK（一级）考试。

Dàjiā hǎo!　Huānyíng　cānjiā　　　　yī jí　kǎoshì.
大家　好！　欢迎　参加 HSK（一级）考试。

　　　　yī jí　tīnglì kǎoshì fēn sì bùfen,　gòng　　　tí.
HSK（一级）听力 考试 分 四 部分，　共 20 题。

Qǐng dàjiā zhùyì,　tīnglì kǎoshì xiànzài kāishǐ.
请 大家 注意，听力 考试 现在 开始。

Dì-yī bùfen
第一 部分

Yígòng　ge tí, měi tí tīng liǎng cì.
一共 5 个题，每题听 两 次。

Lìrú:　　hěn gāoxìng
例如：　很 高兴

　　　　kàn diànyǐng
　　　　看 电影

Xiànzài kāishǐ dì　　tí:
现在 开始 第 1 题：

　　xiǎo nánháir　　　　zǎoshang　　　　　zhēn zhěngqí
1. 小 男孩儿　　2. 早 上　　　　3. 真 整齐

　　jiē diànhuà　　　　pāi zhàopiàn
4. 接 电话　　5. 拍 照片

Dì-èr bùfen
第二 部分

Yígòng　ge tí, měi tí tīng liǎng cì.
一共 5 个题，每题听 两 次。

Lìrú:　　Zhè shì wǒ de shū.
例如：　这 是 我 的 书。

Xiànzài　kāishǐ　dì　　　tí：
现在　 开始　第 6 题：

　　　　Zhè shì wǒ mèimei de zázhì.
6.　这 是 我　妹妹　的 杂志。

　　　　Tā xǐhuan　yóupiào.
7.　他 喜欢　 邮票。

　　　　Tā　lái　Zhōngguó gōngzuò.
8.　他 来　 中国　　工作。

　　　　Wǒ bàba hé māma dōu shì　dàifu.
9.　我 爸爸和 妈妈 都 是　大夫。

　　　　Tāmen zuò gōnggòng qìchē qù shāngchǎng.
10.　他们　坐　公共　 汽车 去　 商场。

　　　　　　　　　　　Dì-sān bùfen
　　　　　　　　　　第三 部分

Yígòng　　ge tí,　měi　tí　tīng　liǎng cì.
一共　5 个题，每 题听　 两次。

Lìrú:　　　　Nǐ hǎo!
例如：女：你 好!

　　　　　Nǐ hǎo!　Hěn gāoxìng rènshi nǐ.
　　　男：你 好!　很　高兴　认识 你。

Xiànzài　kāishǐ dì　　　　tí：
现在　 开始 第 11 题：

　　　　　Nǐ zài　zuò shénme?
11.　男：你 在　做　什么?

　　　　Wǒ zhèngzài xiě zuòyè.
　　女：我　正在　写 作业。

　　　　Nǐ yǒu méiyǒu Zhōngguó dìtú?
12.　女：你 有　没有　 中国　地图?

　　　　Yǒu, gěi nǐ.
　　男：有，给 你。

13. 男： Wǒ de chē shì lánsè de, nǐ de ne?
我 的 车 是 蓝色 的，你 的 呢？

女： Hóngsè de.
红色 的。

14. 男： Běijīng dōngtiān tiānqì zěnmeyàng?
北京 冬天 天气 怎么样？

女： Hěn lěng.
很 冷。

15. 男： Xiànzài jǐ diǎn le?
现在 几点 了？

女： Kuài dào bā diǎn le.
快 到 八 点 了。

Dì-sì bùfen
第四 部分

Yígòng ge tí, měi tí tīng liǎng cì.
一共 5 个 题，每 题 听 两 次。

Lìrú： Xiàwǔ wǒ qù shāngdiàn, wǒ xiǎng mǎi yìxiē shuǐguǒ.
例如： 下午 我 去 商店，我 想 买 一些 水果。

问： Tā xiàwǔ qù nǎlǐ?
他 下午 去 哪里？

Xiànzài kāishǐ dì tí:
现在 开始 第 16 题：

16. Wǒ xiǎng qù shāngchǎng mǎi yí ge zhàoxiàngjī.
我 想 去 商场 买 一个 照相机。

问： Tā xiǎng mǎi shénme?
他 想 买 什么？

17. Wǒmen bān yǒu bā ge Hánguó xuésheng, liǎng ge Rìběn xuésheng, yí ge
我们 班 有 八 个 韩国 学生，两 个 日本 学生，一 个

Měiguó xuésheng.
美国 学生。

问： Tāmen bān yǒu jǐ ge Rìběn xuésheng?
他们 班 有 几 个 日本 学生？

18. Jīntiān shì shíbā hào, xīngqīsān.
今天 是 十八 号，星期三。

Shíjiǔ hào xīngqī jǐ?
问：十九 号 星期 几?

Zhè bēi kāfēi tài kǔ le.
19. 这 杯 咖啡 太 苦了。

　　　Zhè bēi kāfēi zěnmeyàng?
问： 这 杯 咖啡 怎么样?

Jiàqī wǒ xiǎng qù Běijīng.
20. 假期 我 想 去北京。

　　　Jiàqī tā xiǎng qù nǎr?
问： 假期 他 想 去 哪儿?

Tīnglì kǎoshì xiànzài jiéshù.
听力 考试 现在 结束。

HSK（一级）模拟试卷 10

（音乐，30秒，渐弱）

Dàjiā hǎo! Huānyíng cānjiā　　　yī jí　kǎoshì.
大家 好! 欢迎 参加 HSK（一级）考试。

Dàjiā hǎo! Huānyíng cānjiā　　　yī jí　kǎoshì.
大家 好! 欢迎 参加 HSK（一级）考试。

Dàjiā hǎo! Huānyíng cānjiā　　　yī jí　kǎoshì.
大家 好! 欢迎 参加 HSK（一级）考试。

　　　yī jí　tīnglì kǎoshì fēn sì bùfen, gòng　　　tí.
HSK（一级）听力 考试 分 四 部分， 共 20 题。

Qǐng dàjiā zhùyì, tīnglì kǎoshì xiànzài kāishǐ.
请 大家 注意， 听力 考试 现在 开始。

　　　　　Dì-yī bùfen
　　　　　第一 部分

Yígòng　　ge tí, měi tí tīng liǎng cì.
一共 5 个题，每 题 听 两 次。

Lìrú:　　hěn gāoxìng
例如： 很 高兴

kàn diànyǐng
看　电影

Xiànzài kāishǐ dì 　 tí:
现在　开始　第 1 题:

kàn diànshì
1.　看　电视

zhēn lěng
2.　真　冷

qù jiàoshì
3.　去　教室

chī miànbāo
4.　吃　面包

dàqiáo
5.　大桥

Dì-èr bùfen
第二 部分

Yígòng 　 ge tí, měi tí tīng liǎng cì.
一共　5 个题, 每 题 听　两次。

Lìrú: 　 Zhè shì wǒ de shū.
例如:　这 是 我 的 书。

Xiànzài kāishǐ dì 　 tí:
现在　开始　第 6 题:

Wáng lǎoshī qǐng wǒmen qù tā jiā chīfàn.
6.　王　老师 请 我们 去 她家 吃饭。

Tā zài fùxí kèwén.
7.　她在 复习 课文。

Wǒ yèyú shíjiān chángcháng liànxí shūfǎ.
8.　我 业余 时间　常常　练习 书法。

Wǒ péngyou zhǎng de hěn piàoliang.
9.　我　朋友　长 得 很　漂亮。

Tā yòu lái diànhuà le.
10.　他 又 来　电话 了。

Dì-sān bùfen
第三 部分

Yígòng 　 ge tí, měi tí tīng liǎng cì.
一共　5 个题, 每 题 听　两次。

Lìrú: 　 　 Nǐ hǎo!
例如:女:你 好!

Nǐ hǎo! Hěn gāoxìng rènshi nǐ.
男： 你 好！ 很 高兴 认识 你。

Xiànzài kāishǐ dì   tí:
现在 开始 第 11 题：

Gōngsī pài tā zuò shénme?
11. 男： 公司 派 他 做 什么？

Gōngsī pài tā qù Fǎguó xuéxí.
女： 公司 派 他 去 法国 学习。

Zhège bāo lǐ shì shénme dōngxi?
12. 男： 这个 包 里是 什么 东西？

Zhège bāo lǐ shì diànnǎo.
女： 这个 包 里是 电脑。

Miàntiáor zěnmeyàng?
13. 男： 面条儿 怎么样？

Miàntiáor zhēn hǎochī.
女： 面条儿 真 好吃。

Nǐ shì xuésheng háishi lǎoshī?
14. 男： 你 是 学生 还是 老师？

Wǒ shì lǎoshī.
女： 我 是 老师。

Nà shì shéi de xiǎomāor?
15. 男： 那 是 谁 的 小猫儿？

Nà shì Lìli de xiǎomāor.
女： 那 是 丽丽 的 小猫儿。

Dì-sì bùfen
第四 部分

Yígòng   ge tí,   měi tí tīng liǎng cì.
一共 5 个 题， 每题 听 两 次。

Lìrú: Xiàwǔ wǒ qù shāngdiàn, wǒ xiǎng mǎi yìxiē shuǐguǒ.
例如： 下午 我 去 商店， 我 想 买 一些 水果。

Tā xiàwǔ qù nǎlǐ?
问： 他 下午 去 哪里？

Méiyǒu kè de shíhou, wǒ chángcháng zài sùshè xuéxí.
16. 没有 课的 时候，我 常常   在 宿舍 学习。

　　　　Tā chángcháng zài nǎr xuéxí?
问：他 常常   在 哪儿 学习？

Wǒ huì zuò yìxiē Zhōngguó cài.
17. 我 会 做 一些 中国 菜。

　　　　Tā huì zuò shénme?
问：他 会 做 什么？

Tāmen shì wǒ de wàiguó péngyou.
18. 他们 是 我的 外国 朋友。

　　　　Tāmen shì shéi?
问：他们 是 谁？

Tā   fāshāo le, jīntiān bù néng lái shàngkè le.
19. 她 发烧 了，今天 不 能 来 上课 了。

　　　　Tā jīntiān zěnme le?
问：她 今天 怎么 了？

Zhè běn shū yǒudiǎnr nán.
20. 这 本 书 有点儿 难。

　　　　Zhè běn shū zěnmeyàng?
问：这 本 书 怎么样？

Tīnglì kǎoshì xiànzài jiéshù.
听力 考试 现在 结束。

答案 Answer Key

HSK（一级）模拟试卷 *1*

一、听 力

第一部分

1. ×   2. √   3. √   4. ×   5. ×

第二部分

6. A   7. B   8. A   9. B   10. C

第三部分

11. F   12. C   13. A   14. D   15. E

第四部分

16. A   17. B   18. C   19. B   20. A

二、阅 读

第一部分

21. ×   22. ×   23. √   24. ×   25. √

第二部分

26. E   27. F   28. D   29. C   30. A

第三部分

31. D   32. B   33. F   34. A   35. E

第四部分

36. D   37. A   38. C   39. F   40. B

一、听力

第一部分

1. ×　　　2. ×　　　3. ×　　　4. √　　　5. ×

第二部分

6. C　　　7. B　　　8. A　　　9. A　　　10. B

第三部分

11. C　　　12. E　　　13. F　　　14. B　　　15. A

第四部分

16. B　　　17. C　　　18. B　　　19. C　　　20. B

二、阅读

第一部分

21. √　　　22. ×　　　23. ×　　　24. √　　　25. √

第二部分

26. F　　　27. A　　　28. B　　　29. E　　　30. D

第三部分

31. C　　　32. A　　　33. E　　　34. F　　　35. B

第四部分

36. F　　　37. A　　　38. B　　　39. C　　　40. D

HSK （一级）模拟试卷 *3*

一、听力

第一部分

1. √   2. √   3. ×   4. ×   5. ×

第二部分

6. A   7. B   8. B   9. A   10. B

第三部分

11. C   12. D   13. A   14. F   15. B

第四部分

16. B   17. A   18. C   19. C   20. A

二、阅读

第一部分

21. ×   22. √   23. √   24. ×   25. ×

第二部分

26. D   27. A   28. C   29. F   30. B

第三部分

31. F   32. E   33. B   34. A   35. D

第四部分

36. C   37. A   38. D   39. F   40. B

HSK（一级）模拟试卷 4

一、听 力

第一部分

1. ×   2. √   3. ×   4. ×   5. √

第二部分

6. C   7. A   8. B   9. B   10. B

第三部分

11. D   12. A   13. F   14. B   15. E

第四部分

16. A   17. B   18. C   19. B   20. A

二、阅 读

第一部分

21. ×   22. √   23. ×   24. √   25. ×

第二部分

26. B   27. E   28. C   29. F   30. A

第三部分

31. E   32. D   33. A   34. F   35. B

第四部分

36. C   37. A   38. D   39. F   40. B

HSK（一级）模拟试卷 5

一、听 力

第一部分

1. ×　　　2. ×　　　3. √　　　4. ×　　　5. √

第二部分

6. B　　　7. C　　　8. B　　　9. B　　　10. B

第三部分

11. E　　　12. A　　　13. F　　　14. B　　　15. C

第四部分

16. B　　　17. B　　　18. C　　　19. A　　　20. C

二、阅 读

第一部分

21. ×　　　22. √　　　23. ×　　　24. ×　　　25. √

第二部分

26. B　　　27. C　　　28. A　　　29. D　　　30. E

第三部分

31. E　　　32. D　　　33. F　　　34. A　　　35. C

第四部分

36. D　　　37. A　　　38. C　　　39. F　　　40. B

HSK（一级）模拟试卷 *6*

一、听 力

第一部分

1. √   2. √   3. ×   4. ×   5. ×

第二部分

6. A   7. C   8. B   9. C   10. A

第三部分

11. C   12. A   13. B   14. D   15. E

第四部分

16. B   17. B   18. A   19. C   20. A

二、阅 读

第一部分

21. √   22. ×   23. √   24. ×   25. ×

第二部分

26. D   27. B   28. E   29. A   30. F

第三部分

31. D   32. F   33. A   34. C   35. E

第四部分

36. D   37. B   38. F   39. A   40. C

HSK （一级）模拟试卷 7

一、听 力

第一部分

1. √   2. ×   3. √   4. ×   5. ×

第二部分

6. A   7. C   8. B   9. A   10. C

第三部分

11. D   12. A   13. F   14. C   15. B

第四部分

16. C   17. B   18. A   19. B   20. C

二、阅 读

第一部分

21. ×   22. √   23. ×   24. √   25. √

第二部分

26. D   27. A   28. F   29. B   30. C

第三部分

31. C   32. D   33. F   34. A   35. B

第四部分

36. B   37. D   38. F   39. A   40. C

HSK （一级）模拟试卷 8

一、听力

第一部分

1. ×   2. ×   3. ×   4. √   5. √

第二部分

6. A   7. C   8. B   9. B   10. C

第三部分

11. B   12. D   13. F   14. A   15. E

第四部分

16. A   17. B   18. A   19. C   20. B

二、阅读

第一部分

21. ×   22. ×   23. √   24. √   25. √

第二部分

26. C   27. A   28. B   29. D   30. E

第三部分

31. D   32. F   33. B   34. E   35. A

第四部分

36. B   37. A   38. D   39. F   40. C

HSK（一级）模拟试卷 9

一、听 力

第一部分

1. ×   2. ×   3. √   4. ×   5. √

第二部分

6. A   7. C   8. C   9. B   10. C

第三部分

11. A   12. E   13. F   14. B   15. C

第四部分

16. C   17. B   18. B   19. B   20. A

二、阅 读

第一部分

21. ×   22. ×   23. ×   24. √   25. √

第二部分

26. C   27. F   28. E   29. A   30. D

第三部分

31. D   32. F   33. C   34. A   35. E

第四部分

36. A   37. D   38. B   39. F   40. C

HSK（一级）模拟试卷 10

一、听 力

第一部分

1. ×　　　2. √　　　3. ×　　　4. √　　　5. ×

第二部分

6. A　　　7. A　　　8. B　　　9. A　　　10. C

第三部分

11. C　　　12. F　　　13. A　　　14. E　　　15. D

第四部分

16. B　　　17. B　　　18. A　　　19. A　　　20. C

二、阅 读

第一部分

21. ×　　　22. ×　　　23. √　　　24. √　　　25. ×

第二部分

26. D　　　27. A　　　28. E　　　29. B　　　30. F

第三部分

31. D　　　32. E　　　33. B　　　34. A　　　35. C

第四部分

36. C　　　37. D　　　38. F　　　39. B　　　40. A

HSK（一级）答题卡

HSK （一级） 答题卡

一、听 力

1. [√] [×]   6. [A] [B] [C]   11. [A] [B] [C] [D] [E] [F]   16. [A] [B] [C]

2. [√] [×]   7. [A] [B] [C]   12. [A] [B] [C] [D] [E] [F]   17. [A] [B] [C]

3. [√] [×]   8. [A] [B] [C]   13. [A] [B] [C] [D] [E] [F]   18. [A] [B] [C]

4. [√] [×]   9. [A] [B] [C]   14. [A] [B] [C] [D] [E] [F]   19. [A] [B] [C]

5. [√] [×]   10. [A] [B] [C]   15. [A] [B] [C] [D] [E] [F]   20. [A] [B] [C]

二、阅 读

21. [√] [×]   26. [A] [B] [C] [D] [E] [F]   31. [A] [B] [C] [D] [E] [F]   36. [A] [B] [C] [D] [E] [F]

22. [√] [×]   27. [A] [B] [C] [D] [E] [F]   32. [A] [B] [C] [D] [E] [F]   37. [A] [B] [C] [D] [E] [F]

23. [√] [×]   28. [A] [B] [C] [D] [E] [F]   33. [A] [B] [C] [D] [E] [F]   38. [A] [B] [C] [D] [E] [F]

24. [√] [×]   29. [A] [B] [C] [D] [E] [F]   34. [A] [B] [C] [D] [E] [F]   39. [A] [B] [C] [D] [E] [F]

25. [√] [×]   30. [A] [B] [C] [D] [E] [F]   35. [A] [B] [C] [D] [E] [F]   40. [A] [B] [C] [D] [E] [F]

HSK （一级）答题卡

一、听　力

1. [√] [×]	6. [A] [B] [C]	11. [A] [B] [C] [D] [E] [F]	16. [A] [B] [C]
2. [√] [×]	7. [A] [B] [C]	12. [A] [B] [C] [D] [E] [F]	17. [A] [B] [C]
3. [√] [×]	8. [A] [B] [C]	13. [A] [B] [C] [D] [E] [F]	18. [A] [B] [C]
4. [√] [×]	9. [A] [B] [C]	14. [A] [B] [C] [D] [E] [F]	19. [A] [B] [C]
5. [√] [×]	10. [A] [B] [C]	15. [A] [B] [C] [D] [E] [F]	20. [A] [B] [C]

二、阅　读

21. [√] [×]	26. [A] [B] [C] [D] [E] [F]	31. [A] [B] [C] [D] [E] [F]	36. [A] [B] [C] [D] [E] [F]
22. [√] [×]	27. [A] [B] [C] [D] [E] [F]	32. [A] [B] [C] [D] [E] [F]	37. [A] [B] [C] [D] [E] [F]
23. [√] [×]	28. [A] [B] [C] [D] [E] [F]	33. [A] [B] [C] [D] [E] [F]	38. [A] [B] [C] [D] [E] [F]
24. [√] [×]	29. [A] [B] [C] [D] [E] [F]	34. [A] [B] [C] [D] [E] [F]	39. [A] [B] [C] [D] [E] [F]
25. [√] [×]	30. [A] [B] [C] [D] [E] [F]	35. [A] [B] [C] [D] [E] [F]	40. [A] [B] [C] [D] [E] [F]

HSK（一级）答题卡

一、听　力

1. [√] [×]	6. [A] [B] [C]	11. [A] [B] [C] [D] [E] [F]	16. [A] [B] [C]
2. [√] [×]	7. [A] [B] [C]	12. [A] [B] [C] [D] [E] [F]	17. [A] [B] [C]
3. [√] [×]	8. [A] [B] [C]	13. [A] [B] [C] [D] [E] [F]	18. [A] [B] [C]
4. [√] [×]	9. [A] [B] [C]	14. [A] [B] [C] [D] [E] [F]	19. [A] [B] [C]
5. [√] [×]	10. [A] [B] [C]	15. [A] [B] [C] [D] [E] [F]	20. [A] [B] [C]

二、阅　读

21. [√] [×]	26. [A] [B] [C] [D] [E] [F]	31. [A] [B] [C] [D] [E] [F]	36. [A] [B] [C] [D] [E] [F]
22. [√] [×]	27. [A] [B] [C] [D] [E] [F]	32. [A] [B] [C] [D] [E] [F]	37. [A] [B] [C] [D] [E] [F]
23. [√] [×]	28. [A] [B] [C] [D] [E] [F]	33. [A] [B] [C] [D] [E] [F]	38. [A] [B] [C] [D] [E] [F]
24. [√] [×]	29. [A] [B] [C] [D] [E] [F]	34. [A] [B] [C] [D] [E] [F]	39. [A] [B] [C] [D] [E] [F]
25. [√] [×]	30. [A] [B] [C] [D] [E] [F]	35. [A] [B] [C] [D] [E] [F]	40. [A] [B] [C] [D] [E] [F]

HSK （一级） 答题卡

一、听 力

1. [√] [×]	6. [A] [B] [C]	11. [A] [B] [C] [D] [E] [F]	16. [A] [B] [C]
2. [√] [×]	7. [A] [B] [C]	12. [A] [B] [C] [D] [E] [F]	17. [A] [B] [C]
3. [√] [×]	8. [A] [B] [C]	13. [A] [B] [C] [D] [E] [F]	18. [A] [B] [C]
4. [√] [×]	9. [A] [B] [C]	14. [A] [B] [C] [D] [E] [F]	19. [A] [B] [C]
5. [√] [×]	10. [A] [B] [C]	15. [A] [B] [C] [D] [E] [F]	20. [A] [B] [C]

二、阅 读

21. [√] [×]	26. [A] [B] [C] [D] [E] [F]	31. [A] [B] [C] [D] [E] [F]	36. [A] [B] [C] [D] [E] [F]
22. [√] [×]	27. [A] [B] [C] [D] [E] [F]	32. [A] [B] [C] [D] [E] [F]	37. [A] [B] [C] [D] [E] [F]
23. [√] [×]	28. [A] [B] [C] [D] [E] [F]	33. [A] [B] [C] [D] [E] [F]	38. [A] [B] [C] [D] [E] [F]
24. [√] [×]	29. [A] [B] [C] [D] [E] [F]	34. [A] [B] [C] [D] [E] [F]	39. [A] [B] [C] [D] [E] [F]
25. [√] [×]	30. [A] [B] [C] [D] [E] [F]	35. [A] [B] [C] [D] [E] [F]	40. [A] [B] [C] [D] [E] [F]

HSK（一级）答题卡

一、听 力

1. [√] [×]	6. [A] [B] [C]	11. [A] [B] [C] [D] [E] [F]	16. [A] [B] [C]
2. [√] [×]	7. [A] [B] [C]	12. [A] [B] [C] [D] [E] [F]	17. [A] [B] [C]
3. [√] [×]	8. [A] [B] [C]	13. [A] [B] [C] [D] [E] [F]	18. [A] [B] [C]
4. [√] [×]	9. [A] [B] [C]	14. [A] [B] [C] [D] [E] [F]	19. [A] [B] [C]
5. [√] [×]	10. [A] [B] [C]	15. [A] [B] [C] [D] [E] [F]	20. [A] [B] [C]

二、阅 读

21. [√] [×]	26. [A] [B] [C] [D] [E] [F]	31. [A] [B] [C] [D] [E] [F]	36. [A] [B] [C] [D] [E] [F]
22. [√] [×]	27. [A] [B] [C] [D] [E] [F]	32. [A] [B] [C] [D] [E] [F]	37. [A] [B] [C] [D] [E] [F]
23. [√] [×]	28. [A] [B] [C] [D] [E] [F]	33. [A] [B] [C] [D] [E] [F]	38. [A] [B] [C] [D] [E] [F]
24. [√] [×]	29. [A] [B] [C] [D] [E] [F]	34. [A] [B] [C] [D] [E] [F]	39. [A] [B] [C] [D] [E] [F]
25. [√] [×]	30. [A] [B] [C] [D] [E] [F]	35. [A] [B] [C] [D] [E] [F]	40. [A] [B] [C] [D] [E] [F]

HSK （一级） 答题卡

一、听 力

1. [√] [×]　　　6. [A] [B] [C]　　　11. [A] [B] [C] [D] [E] [F]　　　16. [A] [B] [C]

2. [√] [×]　　　7. [A] [B] [C]　　　12. [A] [B] [C] [D] [E] [F]　　　17. [A] [B] [C]

3. [√] [×]　　　8. [A] [B] [C]　　　13. [A] [B] [C] [D] [E] [F]　　　18. [A] [B] [C]

4. [√] [×]　　　9. [A] [B] [C]　　　14. [A] [B] [C] [D] [E] [F]　　　19. [A] [B] [C]

5. [√] [×]　　　10. [A] [B] [C]　　　15. [A] [B] [C] [D] [E] [F]　　　20. [A] [B] [C]

二、阅 读

21. [√] [×]　　26. [A] [B] [C] [D] [E] [F]　　31. [A] [B] [C] [D] [E] [F]　　36. [A] [B] [C] [D] [E] [F]

22. [√] [×]　　27. [A] [B] [C] [D] [E] [F]　　32. [A] [B] [C] [D] [E] [F]　　37. [A] [B] [C] [D] [E] [F]

23. [√] [×]　　28. [A] [B] [C] [D] [E] [F]　　33. [A] [B] [C] [D] [E] [F]　　38. [A] [B] [C] [D] [E] [F]

24. [√] [×]　　29. [A] [B] [C] [D] [E] [F]　　34. [A] [B] [C] [D] [E] [F]　　39. [A] [B] [C] [D] [E] [F]

25. [√] [×]　　30. [A] [B] [C] [D] [E] [F]　　35. [A] [B] [C] [D] [E] [F]　　40. [A] [B] [C] [D] [E] [F]

HSK （一级） 答题卡

一、听 力

1. [√] [×]   6. [A] [B] [C]   11. [A] [B] [C] [D] [E] [F]   16. [A] [B] [C]

2. [√] [×]   7. [A] [B] [C]   12. [A] [B] [C] [D] [E] [F]   17. [A] [B] [C]

3. [√] [×]   8. [A] [B] [C]   13. [A] [B] [C] [D] [E] [F]   18. [A] [B] [C]

4. [√] [×]   9. [A] [B] [C]   14. [A] [B] [C] [D] [E] [F]   19. [A] [B] [C]

5. [√] [×]   10. [A] [B] [C]   15. [A] [B] [C] [D] [E] [F]   20. [A] [B] [C]

二、阅 读

21. [√] [×]   26. [A] [B] [C] [D] [E] [F]   31. [A] [B] [C] [D] [E] [F]   36. [A] [B] [C] [D] [E] [F]

22. [√] [×]   27. [A] [B] [C] [D] [E] [F]   32. [A] [B] [C] [D] [E] [F]   37. [A] [B] [C] [D] [E] [F]

23. [√] [×]   28. [A] [B] [C] [D] [E] [F]   33. [A] [B] [C] [D] [E] [F]   38. [A] [B] [C] [D] [E] [F]

24. [√] [×]   29. [A] [B] [C] [D] [E] [F]   34. [A] [B] [C] [D] [E] [F]   39. [A] [B] [C] [D] [E] [F]

25. [√] [×]   30. [A] [B] [C] [D] [E] [F]   35. [A] [B] [C] [D] [E] [F]   40. [A] [B] [C] [D] [E] [F]

HSK （一级） 答题卡

一、听 力

1. [√] [×]　　　6. [A] [B] [C]　　　11. [A] [B] [C] [D] [E] [F]　　　16. [A] [B] [C]

2. [√] [×]　　　7. [A] [B] [C]　　　12. [A] [B] [C] [D] [E] [F]　　　17. [A] [B] [C]

3. [√] [×]　　　8. [A] [B] [C]　　　13. [A] [B] [C] [D] [E] [F]　　　18. [A] [B] [C]

4. [√] [×]　　　9. [A] [B] [C]　　　14. [A] [B] [C] [D] [E] [F]　　　19. [A] [B] [C]

5. [√] [×]　　　10. [A] [B] [C]　　　15. [A] [B] [C] [D] [E] [F]　　　20. [A] [B] [C]

二、阅 读

21. [√] [×]　　26. [A] [B] [C] [D] [E] [F]　　31. [A] [B] [C] [D] [E] [F]　　36. [A] [B] [C] [D] [E] [F]

22. [√] [×]　　27. [A] [B] [C] [D] [E] [F]　　32. [A] [B] [C] [D] [E] [F]　　37. [A] [B] [C] [D] [E] [F]

23. [√] [×]　　28. [A] [B] [C] [D] [E] [F]　　33. [A] [B] [C] [D] [E] [F]　　38. [A] [B] [C] [D] [E] [F]

24. [√] [×]　　29. [A] [B] [C] [D] [E] [F]　　34. [A] [B] [C] [D] [E] [F]　　39. [A] [B] [C] [D] [E] [F]

25. [√] [×]　　30. [A] [B] [C] [D] [E] [F]　　35. [A] [B] [C] [D] [E] [F]　　40. [A] [B] [C] [D] [E] [F]

HSK（一级）答题卡

一、听 力

1. [√] [×]　　6. [A] [B] [C]　　11. [A] [B] [C] [D] [E] [F]　　16. [A] [B] [C]

2. [√] [×]　　7. [A] [B] [C]　　12. [A] [B] [C] [D] [E] [F]　　17. [A] [B] [C]

3. [√] [×]　　8. [A] [B] [C]　　13. [A] [B] [C] [D] [E] [F]　　18. [A] [B] [C]

4. [√] [×]　　9. [A] [B] [C]　　14. [A] [B] [C] [D] [E] [F]　　19. [A] [B] [C]

5. [√] [×]　　10. [A] [B] [C]　　15. [A] [B] [C] [D] [E] [F]　　20. [A] [B] [C]

二、阅 读

21. [√] [×]　　26. [A] [B] [C] [D] [E] [F]　　31. [A] [B] [C] [D] [E] [F]　　36. [A] [B] [C] [D] [E] [F]

22. [√] [×]　　27. [A] [B] [C] [D] [E] [F]　　32. [A] [B] [C] [D] [E] [F]　　37. [A] [B] [C] [D] [E] [F]

23. [√] [×]　　28. [A] [B] [C] [D] [E] [F]　　33. [A] [B] [C] [D] [E] [F]　　38. [A] [B] [C] [D] [E] [F]

24. [√] [×]　　29. [A] [B] [C] [D] [E] [F]　　34. [A] [B] [C] [D] [E] [F]　　39. [A] [B] [C] [D] [E] [F]

25. [√] [×]　　30. [A] [B] [C] [D] [E] [F]　　35. [A] [B] [C] [D] [E] [F]　　40. [A] [B] [C] [D] [E] [F]

图书在版编目（CIP）数据

新汉语水平考试模拟试题集 . HSK 一级／王江主编 .
— 北京：北京语言大学出版社，2010.7（2017.5 重印）
ISBN 978 - 7 - 5619 - 2814 - 1

Ⅰ.①新… Ⅱ.①王… Ⅲ.①汉语－对外汉语教学－
水平考试－习题 Ⅳ.①H195-44

中国版本图书馆 CIP 数据核字（2010）第 142434 号

书 名：	新汉语水平考试模拟试题集 HSK 一级	
责任印制：	汪学发	
出版发行：	**北京语言大学出版社**	
社 址：	北京市海淀区学院路 15 号	邮政编码：100083
网 址：	www. blcup. com	
电 话：	发行部 82303650/3591/3651	
	编辑部 82303647/3592	
	读者服务部 82303653	
	网上订购电话 82303908	
	客户服务信箱 service@ blcup. com	
印 刷：	保定市中画美凯印刷有限公司	
经 销：	全国新华书店	
版 次：	2010 年 7 月第 1 版 2017 年 5 月第 8 次印刷	
开 本：	787 毫米 × 1092 毫米 1/16	印张：10.75
字 数：	146 千字	
书 号：	ISBN 978 - 7 - 5619 - 2814 - 1/H·10188	
定 价：	32.00 元（含录音 MP3）	

凡有印装质量问题，本社负责调换，电话：82303590